GEMEENTELIJKE BIBLIOTHEEK
-BEVEREN-

Jack Vance

De huizen van Iszm

Eerste druk maart 1998

Vertaling Ivain Rodriguez de León
Omslagillustratie Peter A. Jones
Meulenhoff-*M is een imprint van J.M. Meulenhoff bv, Amsterdam
Oorspronkelijk verschenen onder de titel *The Houses of Iszm*, als feuilleton in *Startling Stories*, 1954; eerste boekuitgave bij Ace Books, 1964

ISBN 90 290 5704 1 / CIP / NUGI 335

Een

Men nam voetstoots aan dat alle reizigers Iszm met één enkel doel aandeden: het stelen van een vrouwelijk huis. Kosmografen, studenten, zuigelingen, beruchte onverlaten: de Iszics pasten op allen dezelfde formule toe – een microscopische inspectie van lichaam en geest en angstvallige surveillance.

Alleen het feit dat zij zo'n menigte huisdieven ontmaskerden, wettigde deze procedure.

Oppervlakkig bezien leek het eenvoudig genoeg om een huis te stelen. Een zaadje, niet groter dan een gerstekorrel, kon in een riem worden genaaid; een kiemplantje kon in het patroon van een sjaal worden geweven; een jonge scheut kon op een raketprojectiel worden geplakt en naar de ruimte afgeschoten. Er bestonden duizend onfeilbare methoden om een Iszic huis te stelen; ze waren allemaal uitgeprobeerd, en de mislukte dieven waren naar het Gekke Huis geleid, terwijl hun Iszic escorte tot het laatst toe wellevend bleef. De Iszics waren realisten en ze wisten dat op een slechte dag – over een jaar, over honderd jaar, duizend jaar – het monopolie gebroken zou worden. De fanatieke, uiterst terughoudende beheerders van het monopolie waren vastbesloten deze dag zo lang mogelijk uit te stellen.

Aile Farr was een lange, broodmagere man van in de dertig met een schelms, gegroefd gezicht en grote handen en voeten. Zijn huid, ogen en haar hadden een stoffige egale kleur. Wat de Iszics belangrijker vonden was dat hij plantkundige was, en dus automatisch het onderwerp van opperste argwaan.

Toen hij aan boord van de *Eubert Honoré* van de Rode Bal Paketvaartlijn op het Jhespiano-atol landde, werd hij ontvangen met een zelfs op Iszm ongewone achterdocht. Twee leden van de Szecr, de elitepolitie, wachtten hem op bij de uitgang van het schip, escorteerden hem de loopplank af alsof hij een gevangene was, en loodsten hem een eigenaardige gang in die men door de buigzame stekels die in de looprichting uit de wand staken slechts in één richting kon passeren. Eenmaal in de gang beland kon men niet meer van gedachten veranderen en omkeren. Het eind van de gang bestond uit een plaat transparant glas en daar aangekomen kon Farr voor- noch achteruit.

Een Iszic met wijnrode en grijze banden trad naar voren en bestudeerde hem door het glas. Farr voelde zich als een specimen in een vitrine. Met tegenzin schoof de Iszic het glas opzij en leidde Farr een klein kantoor in. Terwijl de Szecr achter hem bleven staan ontdeed Farr zich van zijn uitstapkaart, zijn gezondheidsverklaring, zijn bewijs van goed gedrag, zijn formele toegangsaanvraag. De beambte liet de uitstapkaart in een verscheurder vallen, en begon vervolgens de aanvraag te bestuderen.

Het Iszic oog, dat verdeeld is in een groot en een klein segment, is in staat zich op twee voorwerpen tegelijk te richten. De beambte las met het onderste deel van zijn ogen terwijl hij Farr met het bovenste opnam.

'"Beroep..."' Hij richtte beide segmenten van zijn ogen op Farr, sloeg de onderste weer neer en las koel en eentonig verder: '"... onderzoeksassistent. Werkzaam op de universiteit van Los Angeles, afdeling plantkunde."' Hij legde het aanvraagformulier opzij. 'Mag ik informeren naar uw drijfveer om Iszm te bezoeken?'

Farrs geduld raakte ten einde. Hij wees naar het formulier. 'Ik heb het allemaal opgeschreven.'

De ambtenaar las verder zonder zijn ogen van Farr af te nemen, die deze prestatie gefascineerd gadesloeg.

'"Ik ben met studieverlof,"' las de ambtenaar. '"Ik bezoek een aantal werelden waar planten een doeltreffende bijdrage leveren aan het welzijn van de mens."' Weer richtte de beambte beide segmenten op Farr. 'Vanwaar al deze moeite? Deze inlichtingen moeten toch voorhanden zijn op de Aarde zelf?'

'Ik wil waarnemingen uit de eerste hand doen.'

'Met welk doel?'

Farr haalde zijn schouders op. 'Beroepsnieuwsgierigheid.'

'Ik veronderstel dat u op de hoogte bent van onze wetten.'

'Hoe had ik dat kunnen vermijden?' zei Farr geërgerd. 'Sinds het schip Sterholm heeft verlaten ben ik voortdurend geïnstrueerd.'

'U begrijpt dat u geen speciale voorrechten zult krijgen – geen uitputtende of analytische studies kunt verrichten? Begrijpt u dat?'

'Natuurlijk.'

'Onze reglementen zijn strikt – daarop moet ik de nadruk leggen. Veel bezoekers vergeten dat, en halen zich strenge straffen op de hals.'

'Zo langzamerhand,' zei Farr, 'ken ik jullie wetten beter dan de mijne.'

'Het is onwettig om ieder plantaardig materiaal, plantaardig fragment, zaad, kiemplantje, scheut of boom op te rapen, af te snijden, los te breken, te aanvaarden, verbergen of verwijderen, ongeacht waar u het vindt.'

'Ik ben niets onwettigs van plan.'

'Dat zeggen de meeste bezoekers,' antwoordde de beambte. 'Wees zo goed de kamer hiernaast binnen te gaan en al uw kleren en eigendommen af te leggen. Die krijgt u terug bij uw vertrek.'

Farr keek hem verbluft aan. 'Mijn geld – mijn camera – mijn –'

'U worden Iszic equivalenten uitgereikt.'

Sprakeloos ging Farr de witgeschilderde kamer in en kleedde zich uit. Een bediende borg zijn kleren in een glazen doos, en maakte Farr er op opmerkzaam dat hij nagelaten had zijn ring te verwijderen.

'En als ik een vals gebit had, zou je dat zeker ook willen hebben,' gromde Farr.

De Iszic keek vlug op het formulier. 'U verklaart zeer beslist dat uw tanden onverbrekelijk met uw lichaam verbonden zijn, dat ze natuurlijk zijn en ongewijzigd.' De bovenste oogsegmenten namen Farr beschuldigend op. 'Is dit niet correct?'

'Natuurlijk wel,' protesteerde Farr. 'Ze zijn echt. Ik probeerde alleen maar een... een grapje te maken.'

De Iszic mompelde iets in een rooster en Farr werd naar een zijkamer gebracht waar zijn tanden uit den treure werden geïnspecteerd. 'Denk eraan dat je geen grappen meer maakt,' zei Farr tegen zichzelf. 'Deze lieden hebben geen gevoel voor humor.'

Eindelijk stuurden de triest hun hoofd schuddende doktoren Farr terug. Daar werd hij opgewacht door een Iszic in een strak wit en grijs uniform die een injectiespuit in zijn hand hield.

Farr deinsde terug. 'Wat is dat?'

'Een ongevaarlijk stralingsmiddel.'

'Heb ik niet nodig.'

'Het is noodzakelijk,' zei de dokter, 'voor uw eigen bestwil. De meeste bezoekers huren een boot en varen de Pheadh op. Van tijd tot tijd steekt er een storm op en worden de boten uit de koers geblazen. Dit stralingsmiddel zal uw positie aangeven op het grote paneel.'

'Ik wil niet beschermd worden,' zei Farr. 'Ik wil geen lampje op een paneel zijn.'

'Dan moet u Iszm verlaten.'

Farr onderwierp zich aan de injectie terwijl hij de dokter vervloekte om de lengte van de naald en de hoeveelheid vloeistof.

'En nu... naar de volgende kamer voor u tri-type, als u wilt.'

Farr haalde zijn schouders op en gehoorzaamde.

'Op de grijze schijf, Farr Sainh, handpalmen naar voren, ogen wijdopen.'

Hij bleef star staan terwijl voelvlakken langs zijn lichaam streken. In een glazen stolp nam een driedimensionaal, vijftien centimeter hoog simulacrum van hemzelf vorm aan. Farr bekeek het met een zuur gezicht.

'Dank u,' zei de bediende. 'Kleren en de nodige andere zaken krijgt u in de kamer hierachter.'

Farr trok het uniform van de bezoeker aan: een zachte witte broek, een groen en grijs gestreepte tuniek, een wijde donkergroene fluwelen baret die laag over zijn ene oor hing. 'Mag ik nu gaan?'

De bediende keek in een gleuf naast zich. Farr zag heldere letters flikkeren. 'U bent Farr Sainh de plantkundig onderzoeker.' Het was alsof hij had gezegd: 'U bent Farr, de misdadiger.'

'Ik ben Farr.'

'U moet nog enkele formaliteiten vervullen.'

De formaliteiten vulden drie uren. Weer werd Farr overgegeven aan de Szecr, die hem nauwgezet ondervroegen.

Eindelijk kreeg hij zijn vrijheid. Een jonge man met de gele en groene strepen van de Szecr escorteerde hem naar een gondel die op de lagune dreef, een lang en slank vaartuig gemodelleerd uit een enkele peul. Behoedzaam nam Farr er in plaats, waarna hij naar de stad Jhespiano werd geroeid.

Het was zijn eerste blik op een Iszic stad, en een veel rijkere ervaring dan hij zich had voorgesteld. De huizen stonden met onregelmatige tussenruimten langs de lanen en grachten – zware, knoestige stammen, die eerst de lagere peulen torsten, en daarna massa's brede bladeren waarachter de hogere peulenrijen half schuilgingen. Farrs geheugen bracht een associatie tot stand... gisten of mycetozoa onder de microscoop. *Lamproderma violaceum? Dictydium cancellatum?* Hier zag hij dezelfde woekering van takken. De peulen zouden vergrote sporangiën kunnen zijn. De bomen vertoonde dezelfde gewelfde, goed ontworpen symmetrie, de eigenaardig complexe kleuren: donkerblauw onder glinsterend grijs dons, gebrand oranje met een scharlaken sluier, felrood met een paarse weerschijn, beroet groen, wit met roze lichtplekken, subtiele tinten bruin en bijna zwarte tonen. Over de lanen eronder zwierf de Iszic bevolking, een rustig en bleek volk dat zich geborgen voelde in de gelaagde structuur van hun gilden en kasten.

De gondel gleed naar een steiger. Een Szecr met een gele baret waaraan groene kwasten hingen stond te wachten – kennelijk een man van gewicht. Men werd niet aan elkaar voorgesteld; de Szecr bespraken Farr onderling op gedempte toon.

Farr zag geen reden om te wachten en liep de laan in naar een van de nieuwe kosmopolitische hotels. De Szecr maakten geen aanstalten hem tegen te houden; Farr stond nu op eigen benen maar zou wel onder surveillance blijven.

Ontspannen zwierf hij bijna een week lang door de stad. Er waren maar weinig andere bezoekers van buiten de planeet; de Iszic autoriteiten deden hun uiterste best toeristen te weren voorzover dat geoorloofd was door het verdrag van toegang. Farr probeerde een onderhoud te regelen met de voorzitter van de exportraad, maar een bediende van lage rang stuurde hem beleefd maar zonder omhaal weg toen hij begreep dat Farr de uitvoer van huizen van lage kwaliteit wilde bespreken. Farr had niet anders verwacht. Hij verkende de grachten en lagunes in gondels en hij slenterde door de lanen. Minstens drie leden van de Szecr wijdden hun aandacht aan hem. Ze volgden hem onopvallend door de lanen en wachtten in naburige peulen als Farr op een terras zat.

Eenmaal wandelde hij om de lagune heen naar de overkant van het eiland, een terrein van aan de wind en de volle kracht van de zon blootgesteld zand en rots. Hier woonden de nederige kasten in bescheiden driepeulhuizen in rijen met stroken heet zand tussen de woningen. Deze huizen waren neutraal van kleur, een bruinachtig grijsgroen met een centrale pluim van grote bladeren die een zwarte schaduw over de peulen wierp. Zulke huizen waren niet beschikbaar voor export en Farr, die een hoogontwikkeld maatschappelijk bewustzijn bezat, was verontwaardigd. Schande dat deze huizen niet beschikbaar werden gesteld aan de slecht behuisde miljarden van de Aarde! Een hele wijk van zulke woningen hoefde vrijwel niets te kosten: slechts de prijs van het zaad! Farr liep op een van de huizen toe en tuurde in een laaghangende peul. Ogenblikkelijk viel er een tak omlaag, en als Farr niet achteruit was gesprongen was hij misschien gewond geraakt. Nu zwiepte het laatste zware blad over zijn schedel. Een van de Szecr, die twintig meter verder stond, slenterde naar hem toe. 'U wordt aangeraden de bomen niet te molesteren.'

'Ik was niemand en niets aan het molesteren.'

De Szecr haalde zijn schouders op. 'De boom dacht er anders over. Hij is geoefend om vreemdelingen te wantrouwen. Onder de lagere kasten...' de Szecr spuwde verachtelijk, 'komen vetes en ruzies voor, en de bomen krijgen het te kwaad in aanwezigheid van vreemden.'

Farr keerde zich naar de boom en bestudeerde hem met nieuwe belangstelling. 'Bedoelt u dat de bomen een bewuste geest hebben?'

Het antwoord bestond uit niet meer dan een onverschillig schouderophalen.

Farr vroeg: 'Waarom worden deze huizen niet geëxporteerd? Er zou een enorme markt voor zijn; veel mensen die huizen nodig hebben, kunnen zich niets beters dan dit veroorloven.'

'U heeft zelf uw vraag beantwoord,' zei de Szecr. 'Wie is de handelaar op Aarde?'

'K. Penche.'

'Hij is een welgesteld man?'

'Buitensporig welgesteld.'

'Zou hij even welgesteld zijn als hij stulpen als deze verkocht?'

'Vermoedelijk wel.'

De Szecr wendde zich af. 'In ieder geval zou het ons niets opleveren. Deze huizen zijn niet minder moeilijk te cultiveren, verpakken en verschepen dan de klasse AA die wij verhandelen... Ik raad u aan verder geen vreemde huizen van zo nabij te bekijken. U zou wellicht een ernstige verwonding oplopen. De huizen zijn niet zo verdraagzaam jegens onbekenden als hun eigenaars.'

Farr liep verder rond het eiland, langs vruchtdragende boomgaarden en lage grove struiken als de Aardse eeuwplanten. Uit het midden van de laatste ontsproot een tros ebbenzwarte staven van wel drie centimeter dik en drie meter hoog; glad, glanzend en kaarsrecht. Toen Farr ze wilde bekijken kwam de Szecr tussenbeide.

'Dit zijn geen huisbomen,' protesteerde Farr. 'In ieder geval ben ik niet van plan iets te beschadigen. Ik ben plantkundige en stel belang in vreemde planten.'

'Het maakt niet uit,' zei de Szecr-luitenant. 'Noch de planten noch het vakmanschap dat ze heeft ontwikkeld zijn uw eigendom, en moeten u dus geheel onverschillig laten.'

'De Iszic schijnen maar weinig te begrijpen van wetenschappelijke nieuwsgierigheid,' merkte Farr op.

'Ter compensatie bezitten wij een ruim begrip van roofzucht, diefstal, spionage en uitbuiting.'

Daar had Farr geen antwoord op en met een wrange grijns vervolgde hij zijn weg over het strand en weer terug naar de weelderig gekleurde bladeren, peulen en stammen van de stad.

Eén aspect van de surveillance verbijsterde Farr. Daarom benaderde hij de luitenant en wees naar een agent die een paar meter verder stond. 'Waarom aapt hij mij na? Ik ga zitten, hij gaat zitten. Ik drink, hij drinkt. Ik krab aan mijn neus, hij krabt aan zijn neus.'

'Een speciale techniek,' legde de Szecr uit. 'Wij doorgronden het patroon van uw denken.'

'Dat werkt niet,' wist Farr.

De luitenant boog. 'Heel goed mogelijk dat Farr Sainh gelijk heeft.'

Farr glimlachte toegeeflijk. 'Denkt u serieus dat u mijn plannen kunt voorspellen?'

'Wij kunnen slechts ons best doen.'

'Vanmiddag wil ik een zeewaardige boot huren. Wist u dat?'

De luitenant haalde een papier tevoorschijn. 'Ik heb de huurovereenkomst voor u gereed. Het is de *Lhaiz*, en ik heb voor een bemanning gezorgd.'

Twee

De *Lhaiz* was een bark met twee masten en had de vorm van een klomp, paarse zeilen en een ruime en gerieflijke kajuit. Hij was gekweekt aan een speciale botenboom en bestond uit één stuk, tot en met de grote mast die oorspronkelijk de steel van de peul was geweest. De fokkenmast, de spriet, de bomen en het tuig waren apart gefabriceerde onderdelen. Deze situatie was voor de Iszics even ergelijk als mechanische beweging voor een elektrotechnisch ingenieur. De bemanning van de *Lhaiz* stuurde het schip naar het westen. Op de horizon verschenen atollen en verdwenen weer. Sommige waren verlaten tuinen; andere werden gebruikt voor het kweken, zaaien, enten, sorteren, verpakken en verzenden van huizen.

Als plantkundige was Farr hevig geïnteresseerd in de plantages, maar hier werd de surveillance geïntensiveerd: iedere beweging zijnerzijds werd uitgeplozen.

Bij het Tjiere-atol aangekomen brachten wrevel en boosaardigheid Farr ertoe aan zijn bewakers te ontsnappen. De *Lhaiz* gleed langs de steiger en twee bemanningsleden gingen in de weer met meertouwen terwijl de anderen de zeilen reefden en de bomen inhaalden. Aile Farr sprong vlot van het achterdek op de steiger en liep weg. Achter hem steeg een geroezemoes van protest op; dit amuseerde hem hooglijk.

Hij keek naar het eiland dat voor hem lag. Het strand strekte zich ver naar beide kanten uit onder de beukende branding, en de hellingen van de bazaltrug waren zwaarbeladen met groene, blauwe en zwarte begroeiing – een bijzonder vredig en schoon tafereel. Farr bedwong een verlangen om op het strand te springen en onder de bladeren te verdwijnen. De Szecr waren heel correct, maar aarzelden niet om te schieten.

Op de steiger verscheen een lange, stevig gebouwde man. Met tussenruimten van vijftien centimeter was zijn lichaam omcirceld door blauwe banden. Tussen de ringen was de bleke huid van de Iszic te zien. Farr ging langzamer lopen. Zijn vrijheid was al ten einde.

De Iszic hief een lorgnet met een enkel glas en een ebbenhouten poot naar zijn ogen. Dit instrument werd door Iszics van hoge kaste gedragen en was een bijna even intiem attribuut als een van hun organen. Farr was al vele malen bekeken; het bleef hem ergeren. Net als de andere bezoekers op Iszm, net als de Iszics zelf, had hij geen keus, geen verdediging. Het stralingsmiddel dat in zijn schouder was gespoten had hem geëtiketteerd voor al wie wilde kijken.

'Wat is uw behagen, Farr Sainh?' De Iszic gebruikte het dialect dat de kinderen spraken voordat ze de taal van hun kaste leerden.

Farr gaf berustend het formele antwoord. 'Ik ben in afwachting van uw wil.'

'De havenmeester was gezonden om u de juiste beleefdheid te betonen. U werd misschien ongeduldig?'

'Mijn komst is een zaak van gering gewicht, vermoei u niet.'

De Iszic zwaaide met zijn kijker. 'Het is een voorrecht om een medegeleerde te begroeten.'

Zuur vroeg Farr: 'Vertelt dat ding u zelfs wat mijn beroep is?'

De Iszic keek naar Farrs rechterschouder. 'Ik zie dat u geen strafblad heeft; uw intelligentie-index is 23; uw volhardingsniveau is Klasse 4... Er is nog meer informatie.'

'Wie heb ik de eer aan te spreken?' vroeg Farr.

'Ik noem mijzelf Zhde Patasz. Ik prijs mij gelukkig het Tjiere-atol te bebouwen.'

Farr zag de blauw-gestreepte man in een nieuw licht. 'Een planter?'

Zhde Patasz liet zijn lorgnet ronddraaien. 'Wij zullen veel te bespreken hebben... Ik hoop dat u mijn gast wilt zijn.'

De havenmeester kwam hijgend aangelopen. Zhde Patasz maakte een zwierig gebaar met zijn kijker en slenterde weg.

'Farr Sainh,' zei de havenmeester, 'in uw bescheidenheid heeft u het escorte waar u recht op heeft ontlopen. Dat bedroefd ons diep.'

'U overdrijft.'

'Nauwelijks mogelijk. Deze kant op, Sainh.'

Hij marcheerde de betonnen helling af naar een brede trog, terwijl Farr zo langzaam achter hem aan kwam dat hij om de dertig meter op de bezoeker moest blijven wachten. De trog liep onder de bazaltrug en veranderde daar in een ondergrondse gang. Viermaal schoof de havenmeester panelen van spiegelglas opzij, viermaal zwaaiden de deuren achter hen dicht. Farr besefte dat speurschermen, sondes, detectoren en ontleders hem betastten, zijn stralingen testten, zijn massa en hoeveelheid metaal maten. Hij liep onverschillig door. Ze zouden niets vinden. Al zijn kleren en eigendommen waren in beslag genomen; hij droeg nog steeds het bezoekersuniform bestaand uit de witte donsbroek, het grijs-en-groen gestreepte jasje, en de wijde donkergroene baret van fluweel.

De havenmeester klopte op een deur van golfmetaal. Hij spleet in het midden open in twee in elkaar grijpende helften. De gang kwam uit in een helder verlichte kamer. Achter een balie zat een Szecr met de gebruikelijk gele en groene strepen.

'Als de Sainh zo goed wil zijn – zijn tri-type voor onze archieven.'

Geduldig ging Farr op de grijze metalen schijf staan.

'Handpalmen naar voren, ogen wijdopen.'

De voelvlakken streken over zijn roerloze lichaam.

'Dank u, Sainh.' Farr liep naar de balie. 'Dat is een ander type dan op Jhespiano. Laat eens kijken.'

De beambte toonde hem een doorzichtige kaart met in het midden een bruine vlek die vagelijk aan een mensengestalte deed denken. 'Het lijkt niet erg,' vond Farr.

De Szecr liet de kaart in een gleuf vallen. Op het tafelblad verscheen een driedimensionaal afgietsel van Farr. Het kon honderdmaal vergroot worden waardoor vingerafdrukken, wangporiën, oor- en netvliespatronen zichtbaar zouden worden.

'Dat wil ik graag als souvenir hebben,' zei Farr. 'Hij is tenminste aangekleed. In Jhespiano toonten ze mijn charmes aan de hele wereld.'

De Iszic haalde zijn schouders op. 'Neem maar mee.'

Farr stopte het afgietsel in zijn tas.

'En nu, Farr Sainh, mag ik u een onwellevende vraag stellen?'

'Eén extra zal me geen kwaad doen.'

Farr wist dat er een cefaloscoop op zijn hersens was gericht. Iedere impuls van opwinding, iedere blos van angst zou op een kaart worden vastgelegd. Hij haalde zich een warm bad in gedachten.

'Bent u van plan huizen te stelen, Farr Sainh?'

Nu: *het rustige koele porselein, het gevoel van warm water en warme lucht, de geur van zeep.*

'Nee.'

'Bent u op de hoogte van, of medeplichtig aan, zulke plannen?'

Warm water, languit liggen, ontspannen.

'Nee.'

De Szecr zoog zijn lippen in zijn mond met

een grimas van hoffelijk ongeloof. 'Bent u op de hoogte van de straffen die aan dieven worden opgelegd?'

'O ja,' zei Farr. 'Die gaan naar het Gekke Huis.'

'Dank u, Farr Sainh, u kunt gaan.'

Drie

De havenmeester gaf Farr over aan een tweetal onder-Szecr met lichtgele en gouden banden.

'Deze kant op, alstublieft.'

Via een talud kwamen ze in een zuilengang met een glazen wand.

Farr bleef staan om de plantage in ogenschouw te nemen; zijn gidsen maakten onrustige gebaren en wilden graag verder gaan.

'Als het Farr Sainh behaagt...'

'Eén moment,' zei Farr geprikkeld. 'Er is geen haast bij.'

Rechts van hem lag de stad, een woud van ingewikkelde vormen en kleuren. Achter op het terrein stonden de eenvoudige driepeulhuizen van de arbeiders. Ze waren nauwelijks te zien door de luisterrijke verzameling langs de lagune – de huizen van de planters, van de Szecr, van de huiskwekers en huisslopers. Ze waren allemaal anders, geoefend en gevormd met geheime methoden die de Iszics zelfs aan elkaar niet prijsgaven.

Ze waren prachtig, dacht Farr, maar op een eigenaardige manier verbaasden ze hem, precies zoals het verhemelte soms aarzelt bij een nieuwe smaak. Hij concludeerde dat de omgeving zijn oordeel beïnvloedde. De Iszic huizen op Aarde zagen er bewoonbaar genoeg uit. Maar dit was Iszm en alle aspecten van een vreemde planeet hadden deel aan de fundamentele vreemdheid.

Hij richtte zijn aandacht op de landerijen. Deze strekten zich uit naar links, in verschillende tinten bruin, grijs, grijsgroen, groen, afhankelijk van de leeftijd en de soort van de plant. Ieder veld bezat zijn eigen lange, lage schuur waar rijpe kiemplanten gesorteerd, geëtiketteerd, verpot en verpakt werden voor bestemmingen door het ganse heelal.

De twee jonge Szecr begonnen te mompelen in de taal van hun kaste en Farr keerde zich van het raam af.

'Deze kant op, Farr Sainh.'

'Waar gaan we heen?'

'U bent te gast bij Zhde Patasz Sainh.'

Uitstekend, dacht Farr. Hij had de huizen onderzocht die naar de Aarde werden uitgevoerd, de huizen van klasse AA die door K. Penche werden verkocht. Vergeleken met de huizen die de planters voor zichzelf kweekten, stelden ze niet veel voor.

Hij merkte dat er iets vreemds met de twee jonge Szecr aan de hand was. Ze stonden erbij als standbeelden en staarden naar de vloer van de zuilengang.

'Wat is er?' vroeg Farr.

Ze begonnen zwaar te ademen. Farr keek naar de vloer. Een trilling, een gedempt gebrul. Een aardbeving! dacht Farr. Het geluid zwol aan, de ramen rammelden mee. Farr voelde zich opeens wild worden, alsof er een noodtoestand uitbrak. Hij keek uit het raam. In een veld vlakbij scheurde de grond open, veranderde in een bewegende berg, spatte uiteen. Tere zaailingen werden bedolven onder tonnen aarde. Er kwam een metalen snuit uit de grond die drie meter, zes meter hoger maalde. Een metalen deur sloeg ratelend open. Gedrongen bruine mannen met massieve spieren sprongen eruit, renden de velden in en rukten jonge planten uit de grond. In de deuropening brulde een van spanning grijnzende man onverstaanbare bevelen.

Farr keek geboeid toe. Het was een overval van immens gewicht. Van de stad Tjiere loeiden hoorns; het gemene suizen van brijzelschichten verscheurde de lucht. Twee van de bruine mannen werden rode klonten. De man in de deur gaf een schreeuw en de anderen trokken zich terug naar de metalen snuit.

De deur klapte dicht; één overvaller had te lang gewacht. Hij roffelde met zijn vuisten op de romp maar werd genegeerd. Koortsachtig beukte hij op het metaal. De zaailingen die hij in zijn handen had werden fijngeknepen.

De snuit vibreerde en verhief zich toen verder uit de aarde. De brijzelschichten uit het fort van Tjiere sloegen scherven uit het metaal. Een patrijspoort in de romp vloog open en een wapen spuwde blauwe vlammen. In Tjiere stortte een grote boom in. Een enorme geluidloze kreet deed Farr duizelen. De jonge Szecr lieten zich hijgend op hun knieën vallen.

De boom viel om. De grote peulen, de bladterrassen, de ranken, de subtiele balkons – alles vloog fluitend door de lucht en stortte neer in een zielige hoop. Mensen werden spartelend uit de ruïne geslingerd.

De metalen snuit maalde zich nog een paar meter hoger. Nog een ogenblik en hij zou zich losschudden van de bodem en naar de ruimte schieten. De bruine man die buiten was gesloten, worstelde om overeind te blijven op de schuddende aarde en bonsde nog steeds op de romp, maar nu zonder hoop.

Farr keek naar de hemel. Uit de lucht gleden drie monitors neer – lelijke, onbehouwen vaartuigen die eruitzagen als metalen schorpioenen.

Een brijzelschicht sloeg een krater in de grond naast de romp. De bruine man werd twintig meter weggeslingerd. Hij maakte drie radslagen in de lucht en landde op zijn rug.

Het ruimteschip begon zich weer terug in de grond te persen, eerst langzaam zakkend en daarna steeds sneller. Een nieuwe schicht ratelde tegen het metaal als een immense hamer. Het metaal verschrompelde en viel in linten uiteen. Het schip zat onder de grond; de aarde stortte in het gat.

Een derde schicht wierp een stofwolk op.

De twee jonge Szecr waren opgestaan. Ze staarden naar het verwoeste veld en sloegen kreten uit die Farr niet verstond. Een van hen greep Farrs arm beet.

'Kom, wij moeten u in veiligheid brengen. Gevaar, gevaar!'

Farr schudde hem af. 'Ik wacht hier wel.'

'Farr Sainh, Farr Sainh,' riepen zij. 'Wij hebben bevel om over uw veiligheid te waken.'

'Hier ben ik veilig,' zei Farr. 'Ik wil kijken.'

De drie monitors hingen boven de krater en gleden heen en weer.

'Lijkt erop dat de overvallers ontsnapt zijn,' zei Farr.

'Nee! Onmogelijk!' riepen de Szecr. 'Het eind van Iszm!'

Uit de hemel viel een slank schip, kleiner dan de monitors. Als de monitors schorpioenen waren, dan was dit een wesp. Hij daalde boven de krater en zonk in de losse aarde – langzaam, behoedzaam, als een sonde. Het begon een brullend geluid te maken, te vibreren, en toen groef het zich in de grond.

Door de gaanderij kwam een tiental mannen rennen met de soepele, achteroverleunende gang van de Iszic. In een opwelling sloot Farr zich bij hen aan zonder zich aan de kreten van de twee jonge Szecr te storen.

De Iszics haastten zich over het veld naar de krater. Farr rende erachteraan. Bij het slappe lichaam van de bruine man bleef hij staan. Het haar van de overvaller was lang en golvend; zijn gezicht was breed en stomp en zijn handen omklemden nog steeds de zaailingen die hij had uitgerukt. Farr stond nog niet stil of de vingers verslapten. Tegelijk gingen de ogen open. Ze waren helemaal bij. Farr boog zich voorover, half uit medelijden, half uit belangstelling.

Hij werd beetgegrepen. Hij zag gele en groene strepen en woedende gezichten met vertrokken lippen en scherpe tanden.

'Hé daar!' riep Farr terwijl hij van het veld gesleept werd. 'Laat me los!'

De vingers van de Szecr beten in zijn armen en schouders. Ze verkeerden geheel in de ban van een moordlustige waanzin, zodat Farr zijn mond maar hield.

Onder de grond begon een diep rommelend geluid; de aarde schokte.

De Szecr holden met Farr naar Tjiere, en sloegen dan af. Farr begon tegen te stribbelen, liet zijn voeten slepen. Hij kreeg een harde klap in zijn nek. Half verdoofd bood hij verder geen weerstand. Ze brachten hem naar een apart staande boom in de buurt van de bazaltwand. Het was een heel oude boom, met een knoestige zwarte stam, een zwaarwichtig dak van bladeren en twee of drie verschrompelde peulen. In de stam gaapte een gat. Zonder plichtplegingen duwden de Szecr hem erdoorheen.

Vier

Met een schorre schreeuw viel Aile Farr door het duister. Hij schopte met zijn benen en klauwde in de lucht. Zijn hoofd schuurde langs de wand van de schacht. Toen raakte zijn schouder de wand, dan zijn heup en toen gleed hij omlaag door de gebogen buis. Zijn voeten raakten een vlies dat open leek te klappen, en toen nog één en weer één. Seconden later belandde hij tegen een meegevende wand. De klap versufte hem. Hij bleef stil liggen terwijl hij trachtte bij te komen.

Hij voelde aan zijn hoofd. De schram op zijn schedel schrijnde. Hij hoorde een eigenaardig geluid, het sissende en stotende voortsnellen van een voorwerp dat door de buis gleed. Farr kroop snel opzij. Hij kreeg een harde, zware stoot in zijn ribben; even later vloog er iets met een doffe dreun en veel gekreun tegen de wand. Daarna was het stil, afgezien van een vlugge ademhaling.

Voorzichtig vroeg Farr: 'Wie is daar?'

Geen antwoord.

Farr herhaalde de vraag in alle talen en dialecten die hij kende. Nog kwam er geen antwoord. Onbehaaglijk kroop hij in elkaar. Hij had geen licht en geen middelen om een vuur te maken.

De ademhaling werd snorkend en moeizaam. Farr tastte door het donker en vond een gebroken lichaam. Hij ging op zijn knieën zitten en legde de onzichtbare gestalte plat en strekte de armen en benen uit. Het ademen werd regelmatiger.

Farr ging zitten wachten. Na vijf minuten voer er een rilling door de wanden van de gevangenis en hij hoorde een laag geluid als van een verre explosie. Een paar minuten later werden de rilling en het geluid herhaald. Het ondergrondse gevecht was nog niet beslist, dacht Farr. De wesp tegen de mol, een ondergronds gevecht op leven en dood.

Hij werd door elkaar geschud door een golf van druk en geluid; de wanden stonden te beven. Hij hoorde een ontploffing die nogal definitief klonk. De man in het donker snakte naar adem en hoestte.

'Wie is daar?' riep Farr.

Opeens scheen er een fel licht in zijn gezicht.

Farr schrok en wendde zijn hoofd af. Het licht volgde hem.

'Draai die verdomde lamp weg!' gromde hij.

Het licht gleed op en neer over zijn lichaam, bleef hangen op het gestreepte bezoekersoverhemd. In de weerkaatsing van het licht zag Farr de bruine man. Hij was vuil, zat vol kneuzingen en zag er niet bepaald florissant uit. Het licht kwam uit een gesp op de schouder van zijn tuniek.

De bruine man begon met een lage, schorre stem te spreken. Farr kende de taal niet en schudde zijn hoofd. De man bleef hem nog even aankijken, hem zorgvuldig maar weifelend opnemend. Toen wankelde hij pijnlijk overeind en zonder zich aan Farr te storen bestudeerde hij de wanden, de vloer en de zoldering van de cel. Hoog boven hem zat de ontoegankelijke opening waardoor ze waren binnengetuimeld, en in een van de wanden zat een strak gesloten kringspierdeur. Farr was nors en wrokkig gestemd, en de snee op zijn hoofd deed pijn. De activiteit van de bruine man ergerde hem. Natuurlijk viel er niet aan ontsnappen te denken. De Szecr waren allesbehalve amateurs in dit soort werk.

Farr sloeg de man gade en kwam ten slotte tot de conclusie dat hij een Thord was, van het meest mensachtige van de drie Arcturische rassen. Er bestonden verschillende verontrustende geruchten over de Thords, en Farr was niet bijster ingenomen met een Thord als celgenoot – vooral niet in het donker.

De Thord richtte zijn aandacht weer op Farr. Zijn ogen gloeiden zacht, diep, koel en geel, als gepolijste topazen. Weer sprak hij met zijn haperende, hese stem. 'Dit is geen ware gevangenis.'

Dit verraste Farr. Het leek een hoogst eigenaardige opmerking. 'Waarom zegt u dat?'

De Thord bestudeerde hem een volle tien seconden voor hij antwoord gaf. 'Er was grote opwinding. De Iszics hebben ons hierin geduwd om ons op te bergen. Speodig zullen zij ons naar elders brengen. Er zijn hier geen spiegaten, noch geluidsontvangers. Dit is een opslagruimte.'

Farr keek weifelend naar de wanden. De Thord uitte een laag, kreunend geluid waar Farr van schrok, tot hij begreep dat de ander alleen een onaardse variëteit van plezier tot uitdrukking bracht. 'U vraagt zich af hoe ik hier zo zeker van kan zijn,' zei de Thord. 'Het is mijn vermogen om de druk van aandacht te voelen.'

Farr knikte beleefd. De niet-aflatende taxerende blik van de ander begon drukkend te worden. Farr wendde zich half af. De Thord begon in zichzelf te mompelen: een zangerig, eentonig geluid. Een klaagzang? Een weeklacht? Het licht werd zwakker maar het naargeestige gemompel hield niet op. Ten slotte begon Farr te knikkebollen en viel in slaap. Hij sliep bezwaard en onrustig. Zijn hoofd leek pijn te doen en te branden. Hij hoorde vertrouwelijke stemmen en schorre kreten; hij was thuis op Aarde en op weg naar... iemand. Een vriend. Wie? In zijn slaap lag Farr te woelen en te mompelen. Hij wist dat hij sliep; hij wilde wakker worden.

De holle stemmen, de voetstappen, de rusteloze beelden vervaagden en eindelijk sliep hij vast.

Door een ovaal gat stroomde het licht naar binnen, langs de silhouetten van twee Iszics. Farr werd wakker. Hij was vaag verrast dat de Thord verdwenen was. De hele kamer leek trouwens anders. Hij zat niet meer in de wortel van de stokoude zwarte boom.

Haastig krabbelde hij overeind tot hij zat. Zijn ogen waren wazig en nat; het denken viel hem zwaar. Hij had geen anker voor zijn gedachten. Het was alsof alle vermogens van zijn geest afzonderlijke brokken waren die vrij door de lucht vielen.

'Aile Farr Sainh,' zei een van de Iszics, 'mogen wij u verzoeken ons te vergezellen?' Ze droegen gele en groene banden: Szecr.

Farr stond moeilijk op en strompelde door de ovale deur. Met één Szecr voor hem en één Szecr achter hem liep hij door een kronkelende gang. De voorste Szecr schoof een paneel opzij en Farr zag dat hij weer terug was in de zuilengang.

Ze namen hem mee naar buiten. Het was nacht. De sterren flonkerden; Farr zag zijn thuiszon een paar graden onder een ster die hij als Beta Aurigae herkende. De ster riep geen steek van heimwee op. Hij voelde geen enkele emotie. Hij zag zonder aandacht. Hij voelde zich licht, ontspannen, zwevend. Rond de ruïne van het omgevallen huis liepen ze naar de lagune. Voor hen verhief zich een reusachtige stam uit een tapijt van zacht mos.

'Het huis van Zhde Patasz Sainh,' zei de Szecr. 'U bent zijn gast. Hij doet zijn woord gestand.'

De deur gleed opzij en Farr stapte met knikkende benen in de stam. De deur schoof geluidloos dicht. Farr stond alleen in een hoge ronde hal. Hij zocht steun tegen de muur, vagelijk geërgerd door zijn zweverige zintuigen. Hij getroostte zich een wilsinspanning; zijn vermogens dreven weer bijeen, vormden geleidelijk weer een eenheid.

Er kwam een jonge Iszic vrouw naar hem toe. Ze droeg zwarte en witte banden en een zwarte tulband. De huid tussen de banden bloosde heel zwak roze-violet. Een zwarte streep rond haar hoofd benadrukte de horizontale scheiding van haar ogen. Plotseling werd Farr zich bewust van zijn gehavende, vuile, ongeschoren toestand.

'Farr Sainh,' zei de vrouw, 'verwen mij met uw gezelschap.'

Ze bracht hem naar een liftschacht. De schijf voerde hen dertig meter naar boven. Het duizelde Farr van de verplaatsing. Hij voelde de koele hand van de vrouw.

'Hierdoor, Farr Sainh.'

Farr stapte naar voren, bleef staan, en leunde tegen de wand tot hij weer helder zag.

De vrouw bleef geduldig wachten.

De waas voor zijn ogen trok op. Hij stond in een tak, en de vrouw steunde hem met een arm om zijn middel. Hij keek in de bleke gesegmenteerde ogen. Ze nam hem onverschillig op.

'Jullie hebben me verdoofd,' mompelde Farr.

'Deze kant op, Farr Sainh.'

Ze liep de gang af met de soepele tred waardoor haar bovenlichaam leek te zweven. Langzaam volgde Farr haar. Zijn benen waren al steviger; hij voelde zich iets beter.

De vrouw bleef staan bij de iris aan het eind van de gang, draaide zich om en maakte een weids ceremonieel gebaar met beide armen. 'Hier is uw kamer. Het zal u aan niets ontbreken. Voor Zhde Patasz is alle dendrologie een open boek. Zijn wouden vervullen iedere wens. Treedt binnen en verblijdt u in het verfijnde huis van Zhde Patasz.'

Farr ging de kamer binnen. In totaal waren er vier onderling verbonden ruimten in de meest luxe peul die hij tot nu toe had gezien. Het eerste vertrek was een eetkamer. Uit de vloer groeide een forse rib die zich in tweeën verdeelde en een tafel vormde die beladen was met een dozijn schalen voedsel.

De volgende kamer, die behangen was met vezelachtige blauwe draperieën, scheen bedoeld te zijn als rustvertrek, en de derde kamer was tot Farrs enkels belegd met lichtgroene nectar. Achter hem dook opeens een kleine, gedienstig zuchtende Iszic op in de roze en witte banden van een huisbediende. Behendig verwijderde hij Farrs besmeurde kledij. Farr stapte in het bad en de bediende klopte op de wand. Uit kleine poriën sproeide een regen van fris ruikende vloeistof die tintelend over Farrs huid liep. De bediende schepte een lepel lichtgroene nectar op en goot hem over Farrs hoofd uit, die ogenblikkelijk bedekt was met een prikkelende, schuimende laag die even later oploste en zijn huis fris en zacht achterliet.

Daarna kwam de bediende met een schil vol bleke pasta aanzetten, die hij met een strookje bast zorgvuldig over Farrs gezicht wreef, waarop de baard van de plantkundige wegsmolt.

Pal boven zijn hoofd was zich al een poos een vloeistofbel in een teer vlies aan het vormen. Hij werd groter, beefde en trilde. Nu reikte de bediende omhoog met een scherpe doorn. De zak barstte open en een zachte aromatische vloeistof die naar kruidnagel rook overspoelde Farr en verdampte daarna snel. Farr liep de vierde kamer in waar de bediende hem met schone kleren bekleedde, waarna hij een zwarte rozet opzij van zijn been bevestigde. Farr wist iets van de gewoonten van de Iszics en de rozet verraste hem. Het was het persoonlijke insigne van Zhde Patasz, en was geladen met betekenis. Farr werd ermee erkend als de geëerde gast van Zhde Patasz, die zich tot taak stelde Farr tegen al zijn vijanden te verdedigen. Farr mocht zich vrijelijk door het huis bewegen en bezat nu een tiental prerogratieven die gewoonlijk aan de huiseigenaar waren voorbehouden. Hij mocht alle zenuwen, reflexen, activators en verbindingen van het huis manipuleren. Met Zhde Patasz' zeldzaamste schatten kon hij doen wat hij wilde, en in het algemeen gold hij nu als alter ego van Zhde Patasz zelf. Het was een ongekende eer, en voor een Aardbewoner wellicht uniek. Farr vroeg zich af waaraan hij dit te danken had. Misschien bij wijze van verontschuldiging voor de grove behandeling die hij tijdens de overval van de Thords had ondergaan. Ja, dacht Farr, dat moest de reden zijn. Hij hoopte dat Zhde Patasz zijn onkunde van de uiterst ingewikkelde rituelen van de Iszic wellevendheid door de vingers wilde zien.

De vrouw met de zwarte tulband verscheen opnieuw. Ze maakte een uitvoerige revérence.

Farr was niet voldoende bekend met de subtiliteiten van het Iszic gedrag om te kunnen doorzien of de buiging wellicht enigszins ironisch was, en hij schortte zijn oordeel op. Zijn plotselinge verandering van status leek hoogst eigenaardig. Een grap? Onwaarschijnlijk. Gevoel voor humor hadden de Iszics niet.

'Aile Farr Sainh,' deelde de vrouw mee, 'nu u verkwikt bent, wenst u omgang met uw gastheer, Zhde Patasz?'

Farr glimlachte flauw. 'Te allen tijde.'

'Sta mij dan toe u voor te gaan. Ik breng u naar de privé-peulen van Zhde Patasz Sainh, waar hij u zeer rusteloos verbeidt.'

Farr volgde haar door de gang, een helling op waar de tak omlaag hing via een lift door de stam, en een nieuwe gang in. Bij een iris bleef ze staan, boog, en spreidde haar armen wijd uit. 'Zhde Patasz verwacht u.'

De iris week open en Farr stapte weifelend de kamer erachter in. Zhde Patasz zag hij niet direct. Hij liep langzaam naar voren terwijl hij links en rechts keek. De peul was tien meter lang en kwam uit op een balkon met een balustrade. De wanden en de koepelzoldering waren bedekt met klaverbladen van een zijdeachtige groene vezel; de vloer was dicht bedekt met een pruimkleurig mos; uit de wand groeiden eigenaardige lampen. Tegen een van de wanden stonden vier magenta peulstoelen. Midden op de vloer stond een zwarte cilindervaas met water, planten en zwarte dansende alen. Er hingen schilderijen van oude Aardse meesters, kleurrijke curiosa van een vreemde wereld.

Zhde Patasz kwam binnen van het balkon. 'Farr Sainh, ik hoop dat u het goed maakt?'

'Redelijk wel,' zei Farr behoedzaam.

'Wilt u gaan zitten?'

'Zoals u beveelt.' Farr liet zich zakken op een van de broze magenta blazen. De gladde huid ervan rekte zich uit en paste zich aan zijn lichaam aan.

Zijn gastheer nam loom plaats. Even was het stil terwijl de twee elkaar opnamen. Zhde Patasz droeg de blauwe strepen van zijn kaste en vandaag waren zijn bleke wangen versierd met glanzende roze schijven. Dit waren geen toevallige versieringen, besefte Farr. Ieder uiterlijk attribuut van de Iszics had een zekere betekenis. Vandaag droeg Zhde Patasz niet de gebruikelijke wijde baret. De knobbels en ribbels op zijn schedel vormden bijna een kam, wat wees op aristocratische afstamming sinds duizenden jaren.

'Geniet u van uw bezoek aan Iszm?' informeerde hij ten slotte.

Farr dacht even na, en antwoordde toen vormelijk: 'Ik zie veel dat mij boeit. Ik heb ook mishandeling ondergaan, waarvan ik hoop dat ik er geen blijvende gevolgen van ondervinden zal.' Voorzichtig betastte hij zijn schedel. 'Alleen uw gastvrijheid vergoedt de slechte behandeling die mij ten deel is gevallen.'

'Dit is treurig nieuws,' zei Zhde Patasz. 'Wie heeft u misdaan? Verschaf mij hun namen en ik zal ze laten verdrinken.'

Farr bekende dat hij de Szecr die hem in de kerker hadden gesmeten niet precies kon identificeren. 'In ieder geval waren ze opgewonden door de overval, en hierom draag ik ze geen haat toe. Maar later schijn ik verdoofd te zijn, wat ik een zeer schamele manier van doen vind.'

'Uw opmerkingen zijn zeer scherpzinnig,' antwoordde Zhde Patasz met een volkomen onbewogen stem. 'Normaal zouden de Szecr de Thord een hypnotisch gas hebben toegediend. Schijnbaar bent u door een stomme vergissing in dezelfde cel geplaatst, en zo kwam het dat u in de onwaardige bejegening deelde. Zonder twijfel zijn de verantwoordelijke partijen op dit zelfde moment buiten zichzelf van wroeging.'

Farr probeerde op verontwaardigde toon te spreken. 'Mijn wettelijke rechten zijn volslagen genegeerd. Het verdrag van toegang is geschonden.'

'Ik hoop dat u ons wilt vergeven,' zei Zhde Patasz. 'Natuurlijk beseft u dat wij onze velden moeten bewaken.'

'Ik had niets te doen met de overval.'

'Ja. Dat hebben wij begrepen.'

Farr grijnsde bitter. 'Terwijl ik onder hypnose was heeft u alles uit mij gepompt wat ik weet.'

Zhde Patasz' oogvezel, die de segmenten van zijn ogen verdeelde, trok zich samen op de curieuze manier die Farr had leren zien als een uiting van vermaak. 'Bij toeval werd ik in kennis gesteld van uw tegenspoed.'

'"Tegenspoed?" Een schandaal was het!'

Zhde Patasz maakte een sussend gebaar. 'Natuurlijk hadden de Szecr het plan de Thord te onderwerpen door middel van een hypnotische atmosfeer. Het ras bezit machtige vermogens, zowel lichamelijk als psychisch, en is ook berucht om zijn morele gebreken, hetgeen vermoedelijk de reden is waarom het aangeworven is voor deze overval.'

Farr was verbaasd. 'Denkt u dat ze niet voor eigen rekening werkten?'

'Ik geloof van niet. Het was te precies georganiseerd, de planning te exact. De Thords zijn een ongeduldig ras en hoewel het niet onmogelijk is dat zij de expeditie op touw hebben gezet, neigen wij toch naar een andere mening, en wij zijn er zeer op gebrand de aanstichter van de overval op te sporen.'

'En dus ondervroeg u mij onder hypnose, en schond zo het verdrag van toegang.'

'Ik neem aan dat het verhoor slechts zaken betrof die op de overval betrekking hadden.' Zhde Patasz deed zijn best Farr te verzoenen. 'De Szecr waren wellicht wat al te ijverig, maar u leek een samenzweerder te zijn. Dat moet u toch inzien.'

'Ik ben bang van niet.'

'Nee?' Zhde Patasz leek verrast. 'U arriveert op Tjiere op de dag van de aanval. Op de steiger poogt u uw escorte te ontlopen. Tijdens een onderhoud doet u zinloze pogingen om uw reacties te beheersen. Vergeef mij als ik u op uw fouten wijs.'

'In het geheel niet, ga rustig verder.'

'In de zuilengang onttrekt u zich wederom aan uw escorte; u snelt het veld op, in een kennelijke poging om deel te nemen aan de rooftocht.'

'Dit is allemaal onzin,' zei Farr.

'Daarvan zijn wij nu overtuigd,' zei Zhde Patasz. 'De overval is geëindigd in een ramp voor de Thords. Wij hebben de mol vernietigd op een diepte van elfhonderd voet. Er waren geen overlevenden behalve de persoon met wie u de cel deelde.'

'Wat gebeurt er met hem?'

Zhde Patasz aarzelde. Farr meende een onzekere klank in zijn stem te horen. 'Onder normale omstandigheden zou hij waarschijnlijk de minst fortuinlijke van allemaal zijn geweest.' Hij zweeg even terwijl hij zijn gedachten formuleerde. 'Wij stellen vertrouwen in het afschrikkende effect van straf. Hij zou zijn opgesloten in het Gekke Huis.'

'Wat is er met hem gebeurd?'

'Hij doodde zichzelf in zijn cel.'

Farr voelde zich opeens verward, alsof dit een onverwachte ontwikkeling was. Op een of andere manier was de bruine man iets aan hem verplicht; er was iets verloren gegaan...

Zhde Patasz zei met een van bezorgdheid overlopende stem: 'U lijkt geschrokken, Farr Sainh.'

'Ik zou niet weten waarom.'

'Bent u vermoeid, of niet op krachten?'

'Ik kom langzaam weer bij.'

De Iszic vrouw kwam met een blad voedsel – kruidnoten, een warme aromatische vloeistof, gedroogde vis.

Farr at met genoegen; hij had honger. Zhde Patasz sloeg hem nieuwsgierig gade. 'Het is vreemd. Wij komen van verschillende werelden, wij zijn uit andere soorten geëvolueerd, en toch hebben wij een aantal overeenkomstige verlangens gemeen, overeenkomstige angsten en ambities. Wij bewaken onze bezittingen, de voorwerpen die onze veiligheid verzekeren.'

Farr voelde aan de rauwe plek op zijn hoofd. Hij schrijnde en bonsde nog steeds. Hij knikte nadenkend.

Zhde Patasz slenterde naar de glazen cilinder

en keek neer op de dansende alen. 'Soms zijn wij al te bezorgd, natuurlijk, en dan schieten we door onze angst ons doel voorbij.' Hij draaide zich om. Ze keken elkaar een lang ogenblik aan: Farr half verzonken in de stoelpeul, de Iszic lang en sterk, met zijn grote dubbele ogen in zijn magere, scherpe hoofd.

'In ieder geval,' zei Zhde Patasz, 'hoop ik dat u niet meer aan onze vergissing zult denken. De Thords en hun opdrachtgever of opdrachtgevers zijn verantwoordelijk. Zonder hen zou deze situatie zich niet hebben voorgedaan. En vergeet vooral ook onze grote angst niet. De overval was een enorme onderneming en bijna met welslagen bekroond. Wie heeft het bedacht, deze ingewikkelde operatie? Dat moeten wij te weten zien te komen. De Thords werkten zeer precies. Zij stalen zowel zaden als zaailingen uit speciale bedden die duidelijk van tevoren zijn uitgekozen door een spion vermomd als een toerist gelijk uzelf.' En Zhde Patasz keek Farr somber aan.

Farr lachte kort. 'Een toerist ongelijk mijzelf. Ik wil zelfs niet indirect bij de zaak betrokken worden.'

Zhde Patasz boog hoffelijk. 'Een prijzenswaardige houding. Maar ik ben er zeker van dat u edelmoedig genoeg bent om onze opwinding te begrijpen. Wij moeten onze investeringen beschermen; wij zijn zakenlieden.'

'Geen erg goede zakenlieden,' zei Farr.
'Een interessante mening. Waarom niet?'
'U heeft een goed product,' zei Farr, 'maar u brengt het niet economisch op de markt. Een beperkte omzet, een hoge marge.'
Zhde Patasz haalde zijn kijker tevoorschijn en zwaaide er toegeeflijk mee. 'Er bestaan vele theorieën.'
'Ik heb verschillende analyses van de huizenhandel bestudeerd,' zei Farr. 'Alleen over details zijn ze het niet met elkaar eens.'
'Hoe luidt de algemene opinie?'
'Dat uw methoden niet efficiënt zijn. Op iedere planeet is het monopolie in handen van één handelaar. Dit systeem is alleen plezierig voor de handelaar. K. Penche is honderd maal miljonair en de meest gehate man op Aarde.'
Zhde Patasz gebaarde nadenkend met zijn kijker. 'K. Penche zal niet alleen een gehate doch ook een ongelukkig man zijn.'
'Blij het te horen,' zei Farr. 'Waarom?'
'Bij de overval is een groot aantal van zijn quantum vernietigd.'
'Krijgt hij geen huizen?'
'Niet het soort dat hij heeft besteld.'
'Ach,' zei Farr, 'dat maakt niet veel uit. Hij verkoopt toch alles wat u hem stuurt.'
Zhde Patasz toonde een spoor van ongeduld. 'Hij is een Aardbewoner – een koopman. Wij zijn

Iszics en het kweken van huizen zit in ons bloed, is een fundamenteel instinct. De reeks planters begon tweehonderdduizend jaar geleden toen Diun, de oer-antrofib, uit de oceaan kroop. Terwijl het zoute water nog uit zijn kieuwen stroomde, nam hij zijn toevlucht tot een peul. Hij is mijn voorouder. Wij hebben de heerschappij over de huizen verworven; wij zullen deze sinds lang verzamelde kennis niet verstrooien, of toestaan dat wij geplunderd worden.'

'Uiteindelijk zal de kennis gekopieerd worden,' zei Farr, 'of u dat prettig vindt of niet. Er zijn te veel dakloze mensen in het heelal.'

'Nee.' Zhde Patasz liet zijn kijker dichtklikken. 'Het vakmanschap is niet op redelijke wijze aan te leren – nog steeds bestaat er een magisch element.'

'Magisch?'

'Niet letterlijk. Het vertoon van magie. Wij zingen bijvoorbeeld bezweringen boven de ontkiemende zaden. De zaden ontkiemen en gedijen. Zonder bezweringen mislukken ze. Waarom? Wie weet? Op Iszm niemand. In ieder stadium van de groei, van de training en het africhten van het huis zodat het bewoonbaar wordt, betekent deze speciale kennis het verschil tussen een huis en een verschrompelde, nutteloze rank.'

'Op Aarde,' zei Farr, 'zouden we met de elementaire boom beginnen. We zouden een miljoen zaden laten ontkiemen, een miljoen mogelijkheden verkennen.'

'Na duizend jaar,' zei de Iszic, 'slaagt u er misschien in het aantal peulen aan een boom te beheersen.' Hij liep naar de wand en streelde de groene vezels. 'Dit dons – wij spuiten een vloeistof in een orgaan van de rudimentaire peul. Deze vloeistof bevat substanties zoals gepoederde zenuw van de ammonshoorn, as van de frunzstruik, natriumisochromylacetaat, poeder van de Phanodano-meteoriet. De vloeistof ondergaat zes kritieke behandelingen, en moet ingespoten worden door de slurf van een zeelympide. Zeg mij,' hij bekeek Farr door zijn kijker, 'hoelang duurt het voordat uw Aardse vorsers groen dons in een peul kunnen laten groeien?'

'Misschien zouden wij het nooit proberen. Misschien zouden we genoegen nemen met vijf- of zespeulhuizen die de eigenaars naar eigen inzicht kunnen inrichten.'

Zhde Patasz' ogen schoten vuur. 'Maar dat is primitief! Dat begrijpt u toch? Een huis moet helemaal een eenheid zijn – de wanden, de riolering, het decor moeten gegroeid zijn! Welk nut heeft onze reusachtige kennis, onze tweehonderdduizend jaar van inspanning anders? Ieder uilskuiken kan groen dons op de wand lijmen, alleen de Iszics kunnen het erop laten groeien!'

'Ja,' zei Farr. 'Ik geloof u wel.'

Zhde Patasz ging verder, heftig met zijn kijker zwaaiend. 'En als u een vrouwelijk huis stal, en als u erin slaagde een vijfpeulhuis te kweken, dan is dat nog maar het begin. Het huis moet betreden worden, zich onderwerpen, worden afgericht. De webben moeten doorgesneden worden; de uitstotingszenuwen moeten opgespoord en verlamd worden. De irissen moeten op een lichte aanraking openen en sluiten. De kunst van het africhten is bijna even belangrijk als het kweken. Een huis dat niet op de juiste manier wordt getemd is een onhandelbare ergenis – een gevaar.'

'K. Penche temt geen van de huizen die u naar de Aarde zendt.'

'Bah! Penches huizen zijn schapen, futloos. Ze boeien niet. Ze missen schoonheid, ze zijn niet sierlijk.' Hij zweeg even. 'Ik kan het niet onder woorden brengen. Uw taal kan niet duidelijk maken wat een Iszic voor zijn huis voelt. Hij kweekt het, hij groeit erin op. Als hij sterft wordt zijn as aan zijn huis gegeven. Hij drinkt de sappen ervan; het huis gebruikt zijn adem. Het beschermt hem; het neemt de kleur van zijn gedachten aan. Een levendig huis weert vreemden af. Een gewond huis kan doden. En een Gek Huis – daar brengen we onze misdadigers heen.'

Farr luisterde gefascineerd. 'Allemaal goed en wel – voor een Iszic. Aardmensen zijn niet zo kieskeurig. Althans, Aardmensen met een laag inkomen niet. Of zoals u zou zeggen, een Aardbewoner van lage kaste. Hij wil alleen maar een huis om in te wonen.'

'U kunt huizen kopen,' zei Zhde Patasz. 'Wij leveren ze met genoegen. Maar u moet via de erkende distributeurs werken.'

'K. Penche?'

'Ja. Hij is onze vertegenwoordiger.'

'Ik geloof dat ik naar bed ga,' zei Farr. 'Ik ben moe en mijn hoofd doet pijn.'

'Jammer. Maar rust goed uit, en morgen, als u dat wenst, zullen we mijn plantage inspecteren. Intussen is mijn huis het uwe.'

De jonge vrouw met de zwarte tulband begeleidde Farr naar zijn kamer. Op ceremoniële wijze waste zij zijn gezicht, zijn handen en voeten, en besproeide de lucht met een aangename geur.

Farr viel in een onrustige slaap. Hij droomde van de Thord. Hij zag het stompe bruine gezicht, hoorde de zware stem. De schram op zijn hoofd stak als vuur terwijl hij lag te woelen en draaien.

Het gezicht van de bruine man verdween als een lamp die uitging. Verder sliep Farr vredig.

Vijf

De volgende dag werd Farr wakker met de zuchtende fluistergeluiden van de Iszic muziek. Schone kleren hingen bij de hand. Hij trok ze aan en stapte dan het balkon op. Het uitzicht had een luisterrijke, beklemmende schoonheid. De zon, Xi Aurigae, was nog niet op. De hemel was van een elektrisch blauw en de zee als een paarse spiegel die aan de horizon donkerde tot aan een verweerd zwart. Links en rechts stonden de reusachtige en gecompliceerde huizen van de Tjierese aristocraten met het gebladerte afgetekend tegen de lucht, terwijl de peulen een zweem van gedempte kleuren vertoonden: donkerblauw, lichtbruin, donkergroen, als oud fluweel. Over de gracht gleden tientallen gondels. Daarachter strekte zich de bazaar uit, waar goederen en werktuigen van de industriestelsels van het Zuidelijk Werelddeel en een paar buitenwereldse artikelen gedistribueerd werden via een schijnbaar terloopse ruilhandel die Farr niet helemaal duidelijk was.

Uit zijn vertrekken klonk het geluid van een tokkelende snaar. Toen Farr zich omdraaide zag hij dat twee bedienden een hoog buffet met schappen binnendroegen die beladen waren met spijzen. Farr at wafels, fruit, zeeknollen en pasta's terwijl Xi Aurigae geleidelijk over de horizon bolde.

Toen hij klaar was verschenen de bedienden weer, zo prompt dat het Farr een wrange grijns ontlokte. Ze haalden het buffet weg en nu kwam de vrouw binnen die hem de vorige avond had verwelkomd. Vandaag was haar kostuum van zwarte linten uitgebreid met een bewerkelijke hoofdtooi, bestaand uit dezelfde zwarte linten, die de knobbels en ribbels van haar schedel verborg en haar een onverwacht aantrekkelijke verschijning gaf. Na een gecompliceerde ceremoniële begroeting kondigde ze aan dat Zhde Patasz in afwachting was tot het Farr Sainh behaagde.

Farr vergezelde haar naar de hal in de voet van de reuzenstam. Hier wachtte Zhde Patasz samen met een Iszic die hij voorstelde als Omon Bozhd, algemeen agent van de coöperatie van huiskwekers. Omon Bozhd was langer dan Zhde Patasz, zijn gezicht was tamelijk breed en minder scherp, en zijn gedrag was bijna onmerkbaar kwieker en directer. Hij droeg blauwe en zwarte banden en zwarte wangschijven, een kostuum waarvan Farr vagelijk had begrepen dat het door de hogere kasten werd gedragen. Zhde Patasz' houding tegenover Omon Bozhd leek een eigenaardig mengsel van neerbuigendheid en eerbied, voorzover Farr het kon bepalen. Farr schreef deze houding toe aan de disharmonie tussen Omon Bozhds kaste en zijn bleke witte huid, die hoorde bij een man van een van de zuidelijke archipels, of zelfs het Zuidelijk Werelddeel; de mensen van daar misten de lichtblauwe tint waardoor de planters van de Pheadh zich onderscheidden. Toch al van zijn stuk gebracht door de buitengewone aandacht die er aan hem werd besteed, bekommerde Farr zich niet zeer om Omon Bozhd.

Zhde Patasz begeleidde zijn gasten naar een janplezier met beklede banken die in de lucht werd gehouden door honderd bijna geruisloze luchtkronkels. Er was geen poging tot versiering of opluisteren gedaan, maar de bleke schaal van het voertuig, die uit één stuk bestond inclusief de gebogen en gestutte relings, de gewelfde stoelen, en de neerhangende franje van donkerbruine vezels, was zelf al frappant genoeg. Een bediende met rode en bruine banden zat wijdbeens op een staak in de voorplecht en zorgde voor de besturing. Op een lage bank achterin zaten nog twee ondergeschikten die de verschillende instrumenten, symbolen en uitrustingsstukken van Zhde Patasz droegen, waarvan Farr het nut meestal niet kon raden.

Op het laatste moment sloot een zesde Iszic zich bij de groep aan, een man met blauwe en grijze banden die Zhde Patasz voorstelde als Uder Che, zijn 'opperarchitect'.

'Het Iszic woord,' zei hij, 'is natuurlijk anders en omvat een reeks andere betekenissen of weerklanken: biochemicus, instructeur, dichter, voorloper, iemand die liefdevol verzorgt, nog veel meer. Het uiteindelijk effect is niettemin hetzelfde, en beschrijft iemand die nieuwe soorten huizen ontwerpt.'

De achterhoede werd als gebruikelijk gevormd

door een trio van de alom aanwezige Szecr die op een kleiner platform reden. Farr dacht er één te herkennen als lid van zijn escorte tijdens de rooftocht, de dader van de diverse onwaardigheden die hem waren aangedaan. Maar hij wist het niet zeker. In zijn ogen zagen alle Iszics er gelijk uit. Hij speelde met het idee om de man bij Zhde Patasz aan te geven, die gezworen had hem te zullen laten verdrinken. Farr bedwong zijn opwelling; mogelijk voelde Zhde Patasz zich gedwongen zijn woord gestand te doen.

Het platform gleed weg onder de reusachtige boomhuizen door in het centrum van de stad, een weg op die voorbij een reeks kleine velden voerde. Hier groeide de grijsgroene scheuten die Farr herkende als jonge huizen. 'Klasse-AAA-en-AABR-huizen voor de werkopzichters van het Zuidelijk Werelddeel,' legde Zhde Patasz nogal minzaam uit. 'Ginds staan vier- en vijfpeulbomen voor de handwerkslieden. Elk district stelt zijn eigen unieke eisen. Ik zal u niet vermoeien met een beschrijving ervan. Onze exporten naar buiten de planeet vormen natuurlijk nauwelijks zo'n bron van zorg, aangezien wij daar slechts een paar gestandaardiseerde en makkelijk te kweken soorten verkopen.'

Farr fronsde zijn voorhoofd. Het leek alsof Zhde Patasz' neerbuigende gedrag geprononceerder werd. 'U zou uw exporten enorm kunnen vergroten als u besloot tot grotere variatie.'

Zhde Patasz en Omon Bozhd toonden beiden tekenen van vermaak. 'Wij verkopen al net zoveel huizen als we willen. Waarom naar meer streven? Wie apprecieert de unieke en uitzonderlijke kwaliteiten van onze huizen? U zelf heeft ons verteld dat de man van de Aarde zijn huis nauwelijks beschouwt als meer dan een afdak met muren om het weer buiten te houden.'

'U heeft mij verkeerd begrepen – of misschien heb ik mij slecht uitgedrukt. Maar zelfs als het volkomen waar was, dan is er nog altijd behoefte aan een hele serie verschillende huizen, niet alleen op Aarde maar ook op de andere planeten waaraan u verkoopt.'

Omon Bozhd zei: 'U bent werkelijk onredelijk, Farr Sainh, als ik het woord in zijn minst beledigende betekenis mag gebruiken. Laat mij dit verhelderen. U beweert dat er op Aarde behoefte bestaat aan huisvesting. Op Aarde bestaat ook een overschot aan rijkdom – een zo groot overschot dat er enorme projecten van de grond komen door de overtollige energie. Deze rijkdom zou het probleem van de huizenschaarste in een oogopslag kunnen verhelpen – als degenen die de rijkdom bezitten dat verlangden. Omdat u weet dat deze gang van zaken onwaarschijnlijk is, richt u uw oog mijmerend op ons betrekkelijk arme Iszics, in de hoop dat wij minder halsstarrig zullen blijken dan de mensen van uw eigen planeet. Als u dan bemerkt dat wij in beslag worden genomen door onze eigen interessen, voelt u wrok – en hierin ligt het onredelijke van uw standpunt.'

Farr lachte. 'Dit is een verwrongen weerspiegeling van de waarheid. Wij zij rijk, dat zeker. Waardoor? Doordat wij voortdurend ons best doen zo veel mogelijk te produceren met zo min mogelijk inspanning. De Iszic huizen komen goed van pas bij het verminderen van de inspanning.'

'Boeiend,' murmelde Zhde Patasz. Omon Bozhd knikte wijs. De glijwagen maakte een bocht en verhief zich boven een wirwar van stekelige grijze struiken bezaaid met zwarte bollen. Verderop, voorbij een smal strand, lag de kalme blauwe wereldomspannende oceaan, de Pheadh. De glijwagen waagde zich boven de zwakke branding en gleed in de richting van een eilandje in het zicht van de kust.

Zhde Patasz sprak met een plechtige, bijna grafsombere stem: 'Nu zal u getoond worden wat slechts weinigen te zien krijgen: een proefstation waar wij nieuwe huizen ontwerpen en ontwikkelen.'

Farr probeerde een gepast antwoord te bedenken dat uiting gaf aan zijn belangstelling en waardering, maar Zhde Patasz had zijn aandacht al afgewend en Farr zag ervan af.

Het platform spoedde zich voort over het water. De luchtwervels trokken een ziedend wit zog. Het licht van Xi Aurigae glinsterde op het blauwe water en Farr dacht dat het bijna een Aards tafereel was – afgezien van de vreemd gevormde glijwagen, de lange melkwitte mannen met hun strepen naast hem, en de zonderlinge aanblik van de bomen op het eiland in de verte. De tot dusver zichtbare waren van een type dat hij nog niet had gezien: zwaar, laag, met dicht verstrengelde zwarte takken. Het lover, bestaand uit vlezige stroken bruin weefsel, leek voortdurend in beweging.

De wagen remde af en dreef het laatste stuk naar het strand. Vijf meter uit de kust bleef hij hangen. Uder Che de architect sprong in het kniediepe water en waadde behoedzaam aan land met een zwarte doos in zijn handen. De bomen reageerden op zijn aanwezigheid, eerst door zich naar hem toe te buigen, en dan door terug te deinzen en hun takken van elkaar los te maken. Na een ogenblik was er een opening breed genoeg voor de glijwagen, die nu over het strand en tussen de bomen zweefde. Uder Che liep erachteraan en klom weer aan boord; opnieuw omstrengelde de takken elkaar zodat er een ondoordringbare barrière ontstond.

Zhde Patasz legde uit: 'De bomen doden iedereen die probeert te passeren zonder het juiste veiligheidssignaal, dat door de doos wordt uitgestraald. In het verleden ondernamen de planters dikwijls expedities tegen elkaar – dat gebeurt natuurlijk niet meer – en de schildwachtbomen zijn wellicht niet strikt noodzakelijk. Maar wij zijn een conservatieve groep en houden de oude gewoonten in ere.'

Farr keek om zich heen, zonder een poging zijn belangstelling te verhelen. Zhde Patasz sloeg hem met geduldig plezier gade. 'Toen ik naar Ism kwam,' zei Farr ten slotte, 'hoopte ik op een gelegenheid als deze, maar ik rekende er helemaal niet op. Ik moet toegeven dat ik verbaasd ben. Waarom laat u mij dit zien?' Hij bestudeerde het bleke geribbelde gezicht, maar kon natuurlijk niets opmaken uit de uitdrukking van de Iszic.

Zhde Patasz dacht even na alvorens te antwoorden. 'Is het niet denkbaar dat u redenen zoekt waar er geen zijn, afgezien van de gewone zorg van een gastheer voor zijn geëerde gast?'

'Dat is een mogelijkheid,' erkende Farr. Hij glimlachte hoffelijk. 'Maar wellicht spelen nog andere drijfveren een rol?'

'Wellicht. De rooftocht van de Thords baart ons zorgen en wij snakken naar meer informatie. Maar laten wij ons vandaag niet bekommeren om zulke zaken. Ik geloof dat u als plantkundige belang zult stellen in de vindingen van mijzelf en Uder Che.'

'O zeker.' En de volgende twee uur onderzocht Farr huizen met gestutte peulen voor de hoge-g-werelden Cleo 8 en Martinons Fort, en uitgebreide, complexe huizen met peulen als ballonnen voor Fei, waar de zwaartekracht maar half zo hoog was als op Iszm. Er waren bomen die bestonden uit een centrale zuil van een stam en vier reusachtige bladeren, die zich boven de grond welfden zodat er vier overkoepelde hallen ontstonden die een lichtgroen schijnsel doorlieten. Er was een boom met een extra taaie stam die een enkele, op een pantserkoepel lijkende peul torste met lancetvormige stekels aan de basis: een wachttoren voor de twistende stammen van Eta Scorpionis. Op een ommuurd terrein stonden bomen met een zekere mobiliteit en bewustzijn. 'Een nieuw en avontuurlijk gebied van onderzoek,' vertelde Zhde Patasz. 'Wij spelen met het idee om bomen te kweken die verschillende taken kunnen uitvoeren, zoals de wacht houden, toezicht houden op de tuin, het speuren naar mineralen, het bedienen van eenvoudige machines. Zoals ik zei amuseren we ons er voorlopig nog mee, meer niet. Ik heb gehoord dat op het Duroc-atol de meesterplanter een boom heeft ontworpen die gekleurde vezels produceert en daarvan vervolgens tapijten weeft met kenmerkende patronen. Ook wij hebben onze bizarre prestaties geleverd. In gindse koepel, bijvoorbeeld, hebben wij een vereniging weten te bereiken die men onmogelijk zou wanen, als men de basis van de aanpassing niet begreep.'

Farr uitte zijn verbazing en verwondering. Hij merkte dat Omon Bozhd en Uder Che allebei bijzonder eerbiedig aandacht schonken aan de woorden van de planter, alsof ze iets gewichtigs betekenden. En opeens besefte Farr dat, wat het motief voor Zhde Patasz' ongewone gastvrijheid ook mocht zijn, nu duidelijk zou worden welk motief dat was.

Zhde Patasz vervolgde met het harde, scherpe accent van de aristocraat: 'Het mechanisme, als ik het zo mag noemen, van deze samenvoeging is in theorie niet moeilijk. Het dierlijke lichaam is afhankelijk van voedsel en zuurstof, plus een paar aanvullende verbindingen. Het plantaardig systeem produceert natuurlijk deze substanties, en bewerkt de afvalproducten van het dier. Het is verleidelijk om naar een gesloten stelsel te streven, dat alleen energie uit een uitwendige bron nodig heeft. Ofschoon ik geloof dat u het dramatisch zul vinden, is onze prestatie bij lange na nog niet elegant. De vermenging van weefsel is gering: alle uitwisseling geschiedt via half doordringbare membranen die de dierlijke en plantaardige sappen van elkaar gescheiden houden.

Toch is er een begin gemaakt.' Onder het spreken liep Zhde Patasz naar een bleke geelgroene halve bol waarboven hoge gele bladeren wiegden en wapperden. Zhde Patasz gebaarde naar een gewelfde opening. Omon Bozhd en Uder Che hielden zich discreet op de achtergrond. Farr keek weifelend naar ze.

Zhde Patasz boog opnieuw. 'U als plantkundige zult gefascineerd zijn door wat wij bereikt hebben. Daar ben ik zeker van.'

Farr bestudeerde de opening terwijl hij probeerde de situatie te beoordelen. Daarbinnen was iets waarvan de Iszics wilden dat hij het zag, een of andere prikkel die zij hem wilden laten ondergaan... Gevaar? Het was niet nodig om hem te misleiden; hij was toch aan hun genade overgeleverd. Bovendien was Zhde Patasz gebonden door de universele wetten van de gastvrijheid, net zo goed als een bedoeïnen-sheik op Aarde. Gevaar zou er niet bij zijn. Farr liep het inwendige van de koepel in. In het midden lag een iets opgehoogd bed van vruchtbare aarde, waarop een grote ballon lag, een zak van gele gom. De buitenkant van de zak was dooraderd met glinsterende witte strengen en vliesdunne buizen die aan de top versmolten tot een lichtgrijze stam, die op zijn beurt een symmetrische kroon van takken en brede, hartvormige, groenzwarte bladeren steunde. Dat alles zag Farr in een oogwenk, hoewel vanaf het moment dat hij binnenkwam zijn aandacht was gevangen door dat wat de capsule bevatte: het naakte lichaam van een Thord. De voeten rustten in een donkergeel bezinksel op de bodem van de zak, en het hoofd reikte tot dicht onder de stam. De armen waren opgeheven tot de hoogte van de schouders en eindigden niet in handen maar in verwarde ballen van grijze vezel, die daarna als touwen naar de stam oprezen. Het schedeldak was verwijderd, zodat de massa oranje bolletjes vrijkwam waaruit het Thordse brein bestond. Rond de blootgelegde hersens hing een stralenkrans waarvan Farr, toen hij dichterbij kwam, zag dat het een weefsel van bijna onzichtbare draden was, die zich eveneens verstrengelden tot een koord en in de stam verdwenen. De ogen waren afgedekt met een donkerbruin vlies dat bij de Thords dienstdeed als ooglid.

Farr haalde diep adem, bedwong zijn intense afkeer die vermengd was met medelijden en een eigenaardige drang die hij niet kon thuisbrengen... De aandacht van de Iszics voelend draaide hij zich abrupt om. De dubbele ogen van alledrie waren op hem gericht.

Farr onderdrukte zijn gevoelens zo goed hij kon. Wat de Iszics ook verwachtten, hij wilde ze beslist teleurstellen. ‘Dit moet de Thord zijn waarmee ik zat opgesloten.’

Zhde Patasz kwam langzaam naar voren. Zijn lippen krulden in en uit. 'Herkent u hem?'

Farr schudde van nee. 'Ik heb hem nauwelijks gezien. Hij is een vreemde, en ziet er voor mij ongeveer hetzelfde uit als alle anderen van zijn ras.' Hij tuurde scherper in de gummizak. 'Leeft hij?'

'Tot op zekere hoogte.'

'Waarom heeft u mij hiernaartoe gebracht?'

Zhde Patsz was bijna zeker verstoord, misschien zelfs boos. Farr vroeg zich af wat voor moeilijke plannen er mislukt waren. Hij staarde in de zak. Had de Thord bewogen? Omon Bozhd, die links van hem stond, had blijkbaar dezelfde bijna onwaarneembare spiertrekking opgemerkt. 'De Thords zijn psychisch bijzonder volhardend,' zei Omon Bozhd terwijl hij naar voren liep.

Farr wendde zich naar Zhde Patasz. 'Ik had begrepen dat hij was gestorven.'

'Hetgeen ook gebeurd is,' zei Zhde Patasz, 'in alle praktische opzichten. Hij is niet langer Chayen, Veertiende van Tente, Baron van Binicristikasteel. Zijn persoonlijkheid is verdwenen, hij is nu een orgaan, bevestigd aan een boom.'

Farr keek weer naar de Thord. De ogen waren opengegaan, en het gezicht had een merkwaardige uitdrukking gekregen. Farr vroeg zich af of de Thord woorden kon horen, hen kon verstaan. In Omon Bozhd bespeurde hij een spanning, een verbijstering. Een snelle blik leerde hem dat Zhde Patasz en Uder Che nu ook verstard waren. Allen staarden verwonderd naar de Thord. Opeens begon Uder Che snel in het Iszic te spreken en naar de bladeren te wijzen. Farr keek op en zag dat de bladeren trilden. Er was geen tocht, geen luchtstroming in de koepel. Farr keek weer naar de Thord, en merkte dat diens ogen op de zijne waren gericht. Het gezicht vertrok, de spieren om de mond spanden zich. Farr kon zijn blik niet losscheuren. Nu zakte de mond open, de lippen huiverden. Boven hem begonnen de takken te kraken en kreunen.

'Onmogelijk!' kwaakte Omon Bozhd. 'Dit is geen correcte reactie!'

De takken wiegden en schudden. Er klonk een ijselijk gekraak en omlaag schoot een fluitende massa bladeren die boven op Zhde Patasz en Uder Che viel. Weer kreunde het gefolterde hout; de stam spleet, de hele boom wankelde en kantelde. De zak barstte open, en de Thord lag languit op de vloer, half ondersteund door de vezelbundels waarin zijn armen uitliepen. Zijn hoofd viel achterover en zijn mond scheurde zich open in een afzichtelijke grijns. 'Ik ben Chayen van Tente.' Stroompjes gele lymfe biggelden uit zijn mond. Hij hoestte krampachtig en hechtte zijn blik aan Farr. 'Ga heen, ga heen. Verlaat deze vervloekte boombewoners. Ga, doe wat u moet doen.'

Omon Bozhd hielp Zhde Patasz onder de omgevallen boom vandaan; Farr keek onzeker naar de twee Iszics. De Thord zonk achterover. 'Nu sterf ik,' zei hij met een ruwe fluisterstem. 'Ik sterf niet als een boom van Iszm, maar als een Thord, als Chayen van Tente.'

Farr keerde zich af en hielp Omon Bozhd en Zhde Patasz, die probeerden Uder Che onder de bladeren uit te halen. Maar vergeefs. Een afgebroken tak was door de nek van de architect gedrongen. Zhde Patasz gaf een kreet van wanhoop. 'Het wezen heeft mij in zijn dood gewond zoals hij mij bij zijn leven heeft gemolesteerd. Hij heeft de talentvolste der architecten vermoord.' Hij wendde zich af en schreed weg van de koepel. Omon Bozhd en Farr volgden hem.

De groep keerde terug naar de stad Tjiere, somber en zwijgend. Zhde Patasz gedroeg zich maar net beleefd tegenover Farr. Toen de wagen de centrale avenue in gleed, zei Farr: 'Zhde Patasz Sainh, de gebeurtenissen van vanmiddag hebben u heftig aangegrepen, en het lijkt mij het beste als ik niet langer beslag leg op uw gastvrijheid.'

Zhde Patasz antwoordde kortaf: 'Farr Sainh moet doen wat hem goeddunkt.'

'Ik zal de herinnering aan mijn verbrijf op het Tjiere-atol in mijn hart bewaren,' zei Farr weids. 'U heeft mij een inzicht verschaft in de problemen van de planters van Iszm, en hiervoor ben ik u dankbaar.'

Zhde Patasz boog. 'Farr Sainh kan erop vertrouwen dat wij van onze kant aan hem zullen blijven denken.'

De glijwagen stopte op het plein waaraan de drie hotels groeiden en Farr stapte uit. Na een korte aarzeling werd hij gevolgd door Omon Bozhd. Voor het laatst werd er vormelijk dank betuigd, en even vormelijk verklaard dat geen dank verschuldigd was, en daarop zweefde de wagen weg.

Omon Bozhd liep op Farr toe. 'En wat zijn nu uw plannen?' informeerde hij ernstig.

'Ik zal een kamer in het hotel nemen,' zei Farr.

Omon Bozhd knikte alsof Farr een zeer diepzinnige waarheid had geuit. 'En dan?'

'Er ligt nog een gehuurde boot op mij te wachten,' zei Farr. Hij fronste zijn voorhoofd. Hij koesterde weinig lust om de plantages op andere atollen te inspecteren. 'Waarschijnlijk ga ik terug naar Jhespiano. En dan...'

'En dan?'

Farr haalde gemelijk zijn schouders op. 'Ik weet het nog niet.'

'In elk geval wens ik u een prettige reis.'

'Dank u.'

Farr stak het plein over, nam een kamer in het grootste hotel en werd naar een suite van peulen gebracht die leken op die in het huis van Zhde Patasz.

Toen hij naar het restaurant ging voor het avondeten zaten de Szecr alweer klaar. Farr voelde zich verstikt. Na het eten, een typisch Iszic maaltijd van zee- en groentepasta's, liep Farr de laan af naar de waterkant waar hij opdracht gaf de *Lhaiz* gereed te maken voor onmiddellijk vertrek. De kapitein was niet aan boord, en de bootsman protesteerde dat de dageraad van de volgende dag de vroegste mogelijkheid was om te vertrekken, en hiermee moest Farr zich tevredenstellen. Om de avond door te komen maakte hij een strandwandeling. De branding, de warme wind en het zand waren als die op Aarde, maar de silhouetten van de onaardse bomen en de twee Szecr die achter hem aan sloften, plaatsten alles in een ander kader en Farr voelde een steek van heimwee. Hij had genoeg gereisd. Het was tijd om terug te gaan naar de Aarde.

Zes

Farr ging aan boord van de *Lhaiz* nog voor Xi Auriagae helemaal boven de horizon was verschenen, en met de vrijheid van de Pheadh in het vooruitzicht verbeterde zijn stemming. De bemanning was in de weer met het inscheren van de vallen en het uitvouwen van de zeilen; om de *Lhaiz* hing de elektrische sfeer van bedrijvigheid van een schip dat op het punt staat uit te varen. Farr wierp zijn schamele bagage in de kajuit op het achterdek, zocht dan de kapitein op, en gaf bevel weg te zeilen. De kapitein boog en riep bevelen naar de bemanning. Er ging een halfuur voorbij, maar de *Lhaiz* was nog niet losgegooid. Farr ging naar de kapitein, die voorop het schip stond. 'Waarom dit uitstel?'

De kapitein wees omlaag naar waar een zeeman in een vlet aan de romp werkte. 'Er wordt een lek gerepareerd, Farr Sainh. We kunnen spoedig vertrekken.'

Teruglopend naar de verhoogde achtersteven ging Farr in de schaduw van een luifel zitten. Er verstreek nog een kwartier. Farr begon plezier te krijgen in de omgeving, de bedrijvigheid op de kade, de voorbijgangers in hun strepen en banden van verschillende kleuren... Drie Szecr kwamen naar de *Lhaiz* en gingen aan boord. Ze spraken met de kapitein, die zich omdraaide en bevelen aan de bemanning gaf.

De zeilen bolden op, de meertouwen werden losgegooid, het tuig kraakte. Farr sprong uit zijn stoel. Opeens was hij woedend. Hij deed een stap naar voren om de Scecr van het schip te sturen, maar weerhield zich. Het zou een volkomen zinloze inspanning zijn. Kokend van onderdrukte woede liep hij weer naar zijn stoel. Door het blauwe water scherend zette de *Lhaiz* koers naar zee. Het Tjiere-atol werd klein, een schaduw op de horizon, en verdween. De *Lhaiz* voer naar het westen met de wind in de rug. Farr was verbaasd. Zover hij zich herinnerde had hij geen instructies omtrent zijn bestemming gegeven. Hij riep de kapitein bij zich.

'Ik heb u geen bevelen gegeven. Waarom vaart u naar het westen?'

De kapitein verplaatste zijn blik uit één segment van zijn ogen. 'Onze bestemming is Jhespiano. Is dat niet de wens van Farr Sainh?'

'Nee,' zei Farr, alleen om tegendraads te zijn. 'We gaan naar het zuiden, naar Vhejanh.'

'Maar, Farr Sainh, als wij niet doorvaren naar Jhespiano, dan zou u heel goed het vertrek van uw ruimteschip kunnen missen!'

Farr was bijna sprakeloos van verbijstering. 'Wat maakt dat voor u uit?' vroeg hij eindelijk. 'Heb ik de wens te kennen gegeven aan boord van een ruimteschip te stappen?'

'Nee, Farr Sainh. Niet in mijn bijzijn.'

'Wees dan zo vriendelijk verder geen gissingen te doen naar mijn wensen. Wij varen naar Vhejanh.'

De kapitein aarzelde. 'Uw bevelen, Farr Sainh, moeten natuurlijk zorgvuldig overwogen worden. Dan zijn er ook nog de bevelen van de Szecr waarmee rekening moet worden gehouden. Zij verlangen dat de *Lhaiz* doorvaart naar Jhespiano.'

'In dat geval,' zei Farr, 'mogen de Scecr de huur

betalen. Van mij krijgt u niets.'

De kapitein wendde zich langzaam af en ging met de Szecr overleggen. Er volgde een korte discussie, waarbij de kapitein en de Szecr naar Farr keken die onaangedaan onder het zeil zat. Uiteindelijk zwenkte de *Lhaiz* naar het zuiden, en de Szecr gingen boos naar voren.

De reis duurde voort. Farrs kalmte hield het niet lang vol. De bemanning lette even sterk op hem als altijd, en was minder nauwgezet. De Szecr hielden hem zonder ophouden in het oog en doorzochten brutaal en achteloos zijn hut. Farr voelde zich meer gevangene dan toerist. Het leek bijna alsof ze hem weloverwogen provoceerden, alsof ze hun best deden om te zorgen dat hij van Iszm zou gaan walgen. 'Dat is dan geen probleem,' zei Farr nijdig tegen zichzelf. 'De dag dat ik van deze planeet vertrek, zal de gelukkigste van mijn leven zijn.'

Het Vhejanh-atol rees boven de einder, een groep eilanden die bijna identiek leken aan Tjiere. Farr ging met tegenzin aan wal maar vond er niets boeienders te doen dan op het terras van het hotel zitten met een beker Narciz, een scherpe, zilte drank bereid uit zeewier die in grote hoeveelheden werd gedronken door de Iszics van de Pheadh. Toen hij wegging zag hij een aanplakbiljet met een foto van een ruimteschip en een lijst van vertrekdata. Het RS *Andrei Simic* zou over drie dagen van Jhespiano opstijgen. De eerstvolgende vier maanden stonden er geen afvaarten op het programma. Farr bestudeerde het affiche met aandacht. Toen ging hij terug naar de kade, betaalde de huur van de *Lhaiz* en boekte luchtpassage naar Jhespiano.

Hij kwam er dezelfde avond aan en kocht ogenblikkelijk een plaats naar de Aarde aan boord van het RS *Andrei Simic*. Daarna voelde hij zich heel behaaglijk en rustig. 'Belachelijke toestand,' dacht hij half geamuseerd, half minachtend. 'Een halfjaar geleden kon ik aan niets anders denken dan aan verre reizen; en nu wil ik alleen maar naar huis.'

Het ruimtehotel van Jhespiano was een immens gebouw bestaand uit een dozijn onderling verbonden bomen. Farr kreeg een aangename peul die uitzag over de gracht die vanuit de lagune naar het hart van de stad Jhespiano voerde. Toen het tijdstip van zijn vertrek eenmaal vaststond begon Farr zich ten slotte weer te amuseren. De maaltijden van het restaurant, voorverpakt geïmporteerd, waren weer eetbaar. De gasten vormden een gevarieerde groep waarin de meest antropoïde rassen vertegenwoordigd waren. Hij omvatte ook een tiental mensen van de Aarde.

De enige ergenis was de voortdurende surveillance door de Szecr, die zo opdringerig werd dat

Farr zich eerst bij de hotelleiding beklaagde, en vervolgens bij de Szecr luitenant, wat beide keren een onverschillig schouderophalen opleverde. Ten slotte marcheerde hij naar de kleine betonnen bungalow waarin het kantoor van de districtsverdragsadministratie was gevestigd. Dit was een van de weinige niet-organische gebouwen op Iszm. De administrateur was een pafferige kleine Aardman met een scherpe neus, borstelig zwart haar en een pietluttig gedrag, die onmiddellijk Farrs afkeer opriep.

Toch legde hij zijn grieven op een redelijke toon aan hem voor en de beambte beloofde dat hij inlichtingen zou inwinnen.

De volgende dag belde Farr aan bij het administratiepaleis, een massief en waardig huis dat over de centrale gracht hing. Bij dit tweede bezoek gedroeg de administrateur zich heel vormelijk, hoewel hij Farr ongaarne uitnodigde voor de lunch. Ze aten op een balkon terwijl bootpeulen beladen met fruit en bloemen onder hen door de gracht voeren.

'Ik heb de Szecr Centrale over u opgebeld,' zei de administrateur. 'Ze laten zich er niet over uit, wat heel ongewoon is. Meestal zeggen ze botweg: die-en-die is niet welkom; hij heeft gespioneerd.'

'Ik begrijp nog steeds niet waarom ze mij zo intensief lastigvallen.'

'Blijkbaar was u aanwezig toen een groep Arcturianen–'

'Thords.'

'... toen de Thords een grootscheepse aanval deden op de plantage op Tjiere.'

'Ik was erbij, zeker.'

De administrateur speelde met zijn koffiekopje. 'Dat was blijkbaar al genoeg om hun achterdocht te wekken. Ze geloven dat een of meer spionnen vermomd als toeristen de overval hebben beraamd en geregeld, en schijnbaar hebben ze u uitgekozen als een van de verantwoordelijke mensen.'

Farr leunde achterover. 'Ongelofelijk. De Szecr hebben mij bedwelmd met hypnotisch gas en me uitgehoord. Ze weten alles wat ik weet. En later werd ik door de voornaamste planter van Tjiere uitgenodigd als zijn gast. Ze kunnen niet geloven dat ik erbij betrokken ben! Het is volslagen irreëel!'

De administrateur haalde wrang zijn schouders op. 'Dat kan wel zijn. De Szecr erkennen dat ze geen bepaalde klacht tegen u hebben. Maar op de een of andere manier bent u erin geslaagd verdenking op u te laden.'

'En zo, schuldig of onschuldig, moet ik gehinderd worden door hun argwaan? Dat is niet in overeenstemming met de letter of de geest van het verdrag.'

‘Best mogelijk.’ De man ergerde zich. ‘Ik geloof dat ik even goed bekend ben met de bepalingen ervan als u.’ Hij gaf Farr een tweede kop koffie en keek hem al doende nieuwsgierig even aan. ‘Ik neem aan dat u onschuldig bent... Maar misschien is er iets dat u weet. Heeft u contact gehad met iemand die ze zouden kunnen verdenken?’

Farr maakte een ongeduldig gebaar. ‘Ze hebben me in één cel gegooid met een van de Thords. Ik heb bijna niet met hem gesproken.’

De administrateur was merkbaar niet overtuigd. ‘U moet toch iets gedaan hebben dat ze dwarszit. Wat u er ook van denken mag, de Iszics hebben niet de gewoonte u of wie dan ook louter willekeurig te kwellen.’

Farr werd driftig. ‘Wie vertegenwoordigt u eigenlijk? Mij? Of de Szecr?’

De administrateur zei koud: ‘Probeer de situatie eens vanuit mijn standpunt te zien. Tenslotte is het niet onmogelijk dat u bent wat zij schijnen te denken.’

‘Eerst moeten ze dat bewijzen. En ook dan bent u nog mijn wettelijke vertegenwoordiger. Waar bent u hier anders voor?’

De administrateur ontweek de vraag. ‘Ik weet alleen wat u mij verteld heeft. Ik heb met de commandant van de Szecr gesproken. Hij wil niets kwijt. Misschien zien zij u als een slachtoffer, een lokvogel, een boodschapper. Misschien wachten ze erop dat u een verkeerde zet doet of ze naar iemand anders leidt.'

'Dan kunnen ze lang wachten. Trouwens, ik ben de benadeelde partij, niet de Iszics.'

'In welke zin?'

'Na de overval gooiden ze me in een cel. Ik heb al gezegd dat ze me gevangenzetten – ze smeten me in een holle wortel die uitkwam in een ondergrondse cel. Ik heb mijn hoofd nogal lelijk gestoten. De wond is trouwens nog steeds niet geheeld.' Hij voelde aan zijn schedel, waar tenminste weer haar begon te groeien, en zuchtte. De administrateur wilde kennelijk niet in actie komen. Hij keek om zich heen. 'Dit huis wordt natuurlijk afgeluisterd.'

'Ik heb niets te verbergen,' zei de man stijf. 'Ze kunnen dag en nacht luisteren. Dat doen ze waarschijnlijk ook.' Hij stond op. 'Wanneer vertrekt uw schip?'

'Over twee of drie dagen, hangt van de lading af.'

'Ik raad u aan de surveillance te verdragen, er het beste van te maken.'

Farr bedankte omdat het zo hoorde en vertrok. De Szecr stonden te wachten. Ze bogen beleefd toen hij de straat op kwam. Berustend haalde Farr diep adem. Aangezien de situatie blijkbaar niet beter zou worden, moest hij er maar mee leven zo goed als het ging.

Hij liep terug naar het hotel en douchte in de doorzichtige cabine in zijn peul. De vloeistof was een koel, versgeurend sap dat uit een kraan kwam die verwarrend veel op een uier leek. Nadat hij de schone kleren had aangetrokken waar het hotel voor had gezorgd, ging hij naar het terras. Omdat hij genoeg had van zijn eigen gezelschap keek hij de tafels langs. Hij had oppervlakkig kennisgemaakt met de andere gasten: de heer en mevrouw Anderview, rondtrekkende missionarissen; Jonas Ralf en Wilfred Willeran, ingenieurs op de terugweg naar de Aarde, afkomstig van de grootste equatoriale snelweg van Capella XII, en nu gezeten bij een groep schoolonderwijzers die net op Iszm waren aangekomen; die ronde Monagi handelsreizigers, van Aardse oorsprong maar na honderdvijftig jaar al gewijzigd tot een kenmerkend somatype door de omgeving van Monago, ofwel Taurus 61 III. Rechts van hen zaten drie Nenses, lange, slanke bijna-mensen, lenig, spraakzaam en helderziend, dan een tweetal jonge Aardbewoners waarvan Farr had begrepen dat het studenten waren, verder een groep Groot-Arcturianen, het ras waaruit na een miljoen jaar van evolutie op een andere planeet de Thords waren voortgekomen. Aan de andere kant van de Monagi's zaten vier Iszics met rode en paarse strepen, waarvan Farr de betekenis niet wist, en niet veel verder weg, diep in gedachten verzonken een beker narzic drinkend, zat nog een Iszic in blauw, zwart en wit.

Farr staarde naar het wezen. Hij wist het niet zeker – Iszics leken nogal op elkaar – maar dit individu was bijna zeker Omon Bozhd.

Farrs aandacht schijnbaar voelend, verdraaide de man zijn hoofd, knikte Farr hoffelijk toe, stond toen op en liep naar hem toe. 'Mag ik bij u komen zitten?'

Farr wees naar een stoel. 'Ik had niet verwacht dat ik al zo spoedig het genoegen zou smaken onze kennismaking te hernieuwen,' zei hij droog.

Omon Bozhd maakte een van de minzame gebaren die Farrs begrip te boven gingen. 'Wist u niet van mijn plannen om de Aarde te bezoeken?'

'Nee, beslist niet.'

'Merkwaardig.'

Farr zei niets.

'Onze vriend Zhde Patasz heeft mij verzocht u een boodschap over te brengen,' zei Omon Bozhd. 'Allereerst brengt hij via mij een correcte groet type 8 over en zijn schaamte dat uw laatste dag op Tjiere ontsierd werd door een storende gebeurtenis. Dat de Thord voldoende psychische kracht bezat voor zo'n daad komt ons nog steeds nagenoeg ongelooflijk voor. Ten tweede raadt hij u aan de volgende paar maanden uw gezelschap met grote zorg te kiezen, en ten derde beveelt hij mij aan in uw goede zorgen en gastvrijheid op Aarde, waar ik een vreemdeling zal zijn.'

Farr dacht peinzend na. 'Hoe kon Zhde Patasz Sainh weten dat ik terug wilde gaan naar de Aarde? Toen ik Tjiere verliet was dat nog niet mijn plan.'

'Ik heb hem gisteravond nog per telecom gesproken.'

'Ik snap het,' zei Farr. 'Nou, ik zal natuurlijk doen wat ik kan om u te helpen. Naar welk deel van de Aarde gaat u?'

'Mijn plannen staan nog niet vast. Ik ga Zhde Patasz' huizen op hun verschillende groeiplaatsen inspecteren, en zal zonder twijfel wijd en zijd reizen.'

'Wat bedoelt u dat ik mijn gezelschap met grote zorg moet kiezen?'

'Precies wat ik zei. Het schijnt dat geruchten over de Thordse overval tot Jhespiano zijn doorgedrongen, en onderweg zijn aangedikt. Zekere misdadige elementen zouden hierom belang kunnen stellen in uw activiteiten – maar ik spreek te vrijuit.'

Omon Bozhd stond op, boog, en vertrok. Farr staarde hem verbijsterd na.

De volgende avond organiseerde de hotelleiding, wegens het grote aantal Aardse gasten, een muzikale soiree met muziek en spijs en drank in Aardse stijl. Bijna alle gasten, Aardbewoners en anderen, waren aanwezig.

Farr raakte licht onder invloed van whisky-soda, zodanig dat hij zich galant begon te gedragen tegenover de jongste en knapste van de rondreizende schooljuffrouwen. Ze leek zijn interesse te beantwoorden en arm in arm slenterden zij over de boulevard langs het strand. Na wat loos gepraat keek ze hem opeens schalks aan. 'Als ik het zeggen mag, u lijkt me het type niet.'

'Wat? Welk type?'

'O, u weet wel. Iemand die in staat is de Iszics te bedotten en de bomen onder hun neus weg te stelen.'

Farr lachte. 'U heeft gelijk. Zo iemand ben ik niet.'

Weer keek ze hem vlug van opzij aan. 'Ik heb het anders gehoord, uit o zo betrouwbare bron.'

Farr probeerde zijn stem licht en vlot te houden. 'Ja? Wat heeft u dan gehoord?'

'Ach, het moet natuurlijk geheim blijven, want als de Iszics het wisten, dan zou u naar het Gekke Huis worden gestuurd, dus het is logisch dat u er niet zo graag over spreekt. Maar degeen die het me verteld heeft is heel betrouwbaar, en natuurlijk zeg ik geen woord, tegen niemand. Eerlijk gezegd is dit mijn reactie: hoera!'

'Ik heb niet het flauwste benul waar u over spreekt,' zei Farr geprikkeld.

'Nee, ik begrijp dat u het natuurlijk niet durft

te erkennen,' zei de jonge vrouw spijtig. 'Tenslotte zou ik wel een agent van de Iszics kunnen zijn – die hebben ze, weet u.'

'Echt,' zei Farr, 'ik weet niet waar u het over heeft.'

'De overval op Tjiere,' zei de vrouw. 'Het gerucht doet de ronde dat u het meesterbrein erachter bent. Dat u bomen van Iszm smokkelt naar de Aarde. Iedereen spreekt erover.'

Farr lachte treurig. 'Wat een baarlijke onzin. Als dat waar was, denkt u dan dat ik op vrije voeten zou zijn? Natuurlijk niet. De Iszics zijn heel wat slimmer dan u blijkbaar denkt... Waar is dit bespottelijke praatje begonnen?'

De vrouw was teleurgesteld. Ze had liever een doldrieste bomendief gehad dan een doodgewone onschuldige Aile Farr. 'Ik weet het echt niet.'

'Waar heeft u het gehoord?'

'In het hotel. Een paar van de mensen praatten erover.'

'Als het maar sensationeel is,' zei Farr.

De vrouw maakte een afkeurend geluid en gedroeg zich merkbaar koeler toen ze terugliepen naar het hotel.

Ze waren maar net gaan zitten toen vier Szecr met hoofdtooien die op hoge rang duidden de zaal in marcheerden. Ze bleven bij Farrs tafel staan en bogen kort. 'Als het Farr Sainh behaagt, wordt zijn aanwezigheid elders verzocht.'

Farr bleef zitten, half van zins de groep te tarten. Hij keek om zich heen, maar zag overal op het terras slechts afgewende gezichten. De schooljuffrouw verkeerde in een staat van opwinding die aan extase grensde.

‘Waar verlangt men naar mijn aanwezigheid?’ vroeg Farr met een van woede starre stem. ‘En waarom?’

‘Er moeten enkele routinevragen worden gesteld, in verband met uw voorgewende bezigheden op Iszm.’

‘Kan het niet tot morgen wachten?’

‘Nee, Farr Sainh. Gaat u alstublieft direct mee.’

Ziedend van verontwaardiging stond Farr op en liep omringd door de Szecr van het terras.

Een halve kilometer verder kwamen ze bij een kleine driepeulboom aan het strand. Binnenin zat een oude Iszic op een divan. Hij gebaarde Farr tegenover hem plaats te nemen en stelde zich voor als Usimr Adislj, van de kastc die geleerden, theoretici, wijsgeren en andere bedenkers van abstracte principes omvatte. ‘Horend van uw aanwezigheid in Jhespiano, en van uw op handen zijnde vertrek, voelde ik het als mijn plicht zo spoedig mogelijk kennis met u te maken. Ik heb begrepen dat u op Aarde beroepshalve betrokken bent bij het gebied van kennis dat onze voornaamste bezigheid is?’

‘Dat is waar,’ zei Farr kortaf. ‘Ik ben enorm gevleid door uw belangstelling, maar een minder nadrukkelijke uiting ervan zou mij liever zijn geweest. Iedereen in het hotel is ervan overtuigd dat ik door de Szecr ben gearresteerd wegens de misdaad van het huizen stelen.'

Usimr Adislj haalde onverschillig de schouders op. 'Dit snakken naar morbide sensatie is een algemeen kenmerk van de hominiden van aapachtige afstamming. Het is een emotie die naar ik meen het best bestreden kan worden met verheven minachting.'

'Welzeker,' zei Farr. 'Dat beaam ik. Maar was het nodig vier Szecr op me af te sturen met uw uitnodiging? Allesbehalve discreet.'

'Onbelangrijk. Mannen van onze positie kunnen zich niet vermoeien met zulke nietigheden. Vertel me nu van uw achtergrond en uw bijzondere interessen.'

Vier uur lang spraken Farr en Usimr Adislj over Iszm, de Aarde, het heelal, de varianten van de mens en de richting van de toekomst. Toen de Szecr, nu gereduceerd tot twee ondergeschikten, Farr eindelijk terug escorteerden naar zijn hotel, vond Farr dat hij een uiterst lonende avond had doorgebracht.

De volgende morgen, toen hij voor het ontbijt op het terras verscheen, werd hij begroet met iets van ontzag. Mevrouw Anderview, de knappe jonge vrouw van de missionaris, zei: 'We waren ervan overtuigd dat u weggevoerd was – naar de gevangenis. Of zelfs naar het Gekke Huis. En we vroegen ons af of we niet ogenblikkelijk de administrateur moesten alarmeren.'

'Het was niet belangrijk,' zei Farr. 'Alleen een vergissing. Maar ik dank u voor uw belangstelling.'

De Monagi vroegen hem uit. 'Is het een feit dat u en de Thords de Szecr finaal te slim af zijn geweest? Zo ja, dan kunnen wij u een royaal bod doen voor alle vrouwelijke bomen die u toevallig in uw bezit mocht hebben.'

'Ik ben niet in staat om wie dan ook te slim af te zijn,' deelde Farr mee. 'En ik bezit geen vrouwelijke boom, niet bij toeval en niet anderszins.'

De Monagi knikten en knipoogden veelbetekenend. 'Natuurlijk, natuurlijk, waar zelfs het gras oren heeft.'

De dag daarna viel het RS *Andrei Simic* uit de hemel neer en het uur van vertrek werd aangekondigd: twee dagen later om negen uur 's ochtends. In deze laatste twee dagen vond Farr de Szecr zo mogelijk nog onverdrotener in hun waakzaamheid. De avond voor het vertrek werd hij door een lid van de politie benaderd dat hem uiterst correct een boodschap overbracht. 'Als Farr Sainh ons zijn tijd wil gunnen, wordt hij verzocht zich te vervoegen bij het inschepingskantoor.'

'Goed,' zei Farr, berustend in het ergste. Hij gaf opdracht zijn bagage naar de ruimtehaven te versturen en begaf zich daarna naar het kantoor in de verwachting aan een onderzoek te worden onderworpen waarbij alle eerdere in het niet zouden verzinken.

De Szecr deden hem totaal versteld staan. Hij werd naar de peul van de ondercommandant gebracht, die zonder omwegen ter zake kwam.

'Farr Sainh – wellicht heeft u de afgelopen paar weken gemerkt dat wij belang in u stellen.'

Farr beaamde dit.

'Ik mag de achtergrond van deze zaak niet onthullen,' zei de Szecr. 'De surveillance werd ingegeven door onze zorg voor uw veiligheid.'

'Mijn veiligheid?'

'Wij vermoeden dat u in gevaar bent.'

'In gevaar? Bespottelijk.'

'Toch niet. Integendeel zelfs. Op de avond van de soiree hebben wij een giftige doorn uit uw stoel verwijderd. Bij een andere gelegenheid, terwijl u op het terras zat te drinken, is er gif in uw beker gedaan.'

Farrs mond viel open van verbazing. Ergens, hoe dan ook, beging iemand een verschrikkelijke vergissing. 'Hoe weet u dat allemaal? Het lijkt zo – niet te geloven!'

De Iszic knipperde geamuseerd met de vezel die zijn dubbele ogen in tweeën deelde. 'U herinnert zich de formaliteiten bij aankomst op Iszm. Ze stellen ons in staat de invoer van wapens te controleren. Maar gif is een andere zaak. Een enkel stofje kan geïnfecteerd worden met tien miljoen levensgevaarlijke bacteriën, en zonder problemen verborgen worden. Dus moet iedere buitenwerelder die een moord van plan is, zijn toevlucht nemen tot wurging of gif. De waakzaamheid van de Szecr verijdelt daden van lijfelijk geweld, dus hoeven wij slechts op onze hoede te zijn voor gif. Waarin kan gif worden toegediend? In voedsel, in drank, via een injectie. Als wij de diverse middelen en methoden van vergiftiging opsommen, zien wij dat een van de onderindelingen luidt: "Vergiftigde doorn, splinter of weerhaak, bedoeld om de dij, de heup, of de bil te doordringen of doorsteken, door verticale toepassing onder de druk van de zwaartekracht." Vandaar dat onze surveillance zich te allen tijde uitstrekt tot de stoelen of banken waarop u zou kunnen gaan zitten.'

'Ik begrijp het,' zei Farr bedrukt.

'Gif in uw drinken sporen wij op door middel van een reagens dat donker wordt wanneer er een verandering plaatsvindt in de oorspronkelijke oplossing. Toen een van uw whisky-soda's ongewoon troebel werd, verwijderden wij het glas en zorgden voor een nieuw.'

'Dit is allemaal hoogst verwarrend,' zei Farr.

‘Wie zou mij willen vergiftigen? Waarom?’

‘Ik ben alleen gemachtigd deze waarschuwing te verstrekken.’

‘Maar... waartegen waarschuwt u mij?’

‘De details zouden niets bijdragen aan uw veiligheid.’

‘Maar... ik heb niets gedaan!’

De ondercommandant liet zijn kijker ronddraaien. ‘Het heelal is acht miljard jaar oud, waarvan de laatste twee miljard intelligent leven hebben opgeleverd. In al deze tijd is er niet één enkel uur van absolute rechtvaardigheid geweest. Het zou geen verrassing moeten zijn als u merkt dat deze fundamentele omstandigheid van toepassing is op uw privé-leven.’

‘Met andere woorden’

‘Met andere woorden... loop geruisloos, kijk om hoeken, volg geen verlokkende vrouwen naar donkere kamers.’ Hij trok aan een strakke snaar; er verscheen een jonge Szecr. ‘Begeleid Aile Farr Sainh aan boord van de *Andrei Simic*. Wij laten alle verdere onderzoeken varen.’

Farr staarde hem ongelovig aan.

‘Ja, Farr Sainh,’ zei de Szecr. ‘Wij menen dat u uw eerlijkheid heeft bewezen.’

Farr verliet de peul in een toestand van versuffing. Er was iets verkeerd. De Iszics lieten niets en niemand zonder onderzoek vertrekken.

Alleen in zijn hut aan boord van het schip liet

hij zich zakken op het elastische paneel dat dienstdeed als bed. Hij was in gevaar. De Szecr hadden het gezegd. Het was een onthutsend idee. Farr bezat het normale quotum moed. In een gevecht met tastbare vijanden zou hij zich niet te schande maken. Maar de mededeling dat hem misschien het leven benomen werd, zonder te weten hoe en waarom – dat gaf hem een misselijk gevoel in zijn maag... Natuurlijk, dacht Farr, zou de ondercommandant zich kunnen vergissen; of misschien had hij dit mysterieuze dreigement gebruikt om Farr snel van Iszm weg te krijgen.

Hij stond op en onderzocht zijn hut. Hij vond geen in het oog lopende mechanismen, geen spioneercellen. Hij rangschikte zijn bezittingen zodanig dat hij het zou merken als iemand ze aanraakte. Toen schoof hij het vezelpaneel opzij en keek naar het gangpad. Het was een lint van gegroefd glas, en er was niemand. Farr verliet zijn hut en begaf zich gehaast naar de zaal.

Hij bekeek de passagierslijst. Er waren in totaal achtentwintig passagiers. Sommige van de namen kende hij: meneer en mevrouw Anderview, Jonas Ralf, Wilfred Willeran en Omon Bozhd; andere namen, fonetische benaderingen van vreemde fonemen, zeiden hem niets.

Farr ging terug naar zijn hut, sloot de deur af en ging op bed liggen.

Zeven

Pas toen de *Andrei Simic* in de ruimte was en de kapitein naar de zaal kwam om de scheepsreglementen voor te lezen, zag Farr zijn medepassagiers. Er waren zeven Iszics, negen Aardbewoners, de drie Monagi geleerden, drie Codainse monniken die een rituele pelgrimage rond de werelden maakten, nog vijf anderen van verschillende werelden, waarvan de meesten met dit schip naar Iszm waren gekomen. Op Omon Bozhd na droegen de Iszics de gouden en zwarte strepen van plantersagenten, sobere lieden van hoge kaste, allen min of meer van hetzelfde type. Farr nam aan dat twee of misschien drie van hen Szecr waren. Onder de mensen van de Aarde waren een tweetal spraakzame jonge studenten, een vergrijsde sanitair-ingenieur met verlof, de Anderviews, Ralf en Willeran, en Carto en Maudel Wlewska, een jong paar.

Farr taxeerde de groep, probeerde zich elk van de leden voor te stellen in de rol van moordenaar en erkende uiteindelijk dat hij niet verder kwam. Zij die al voor Iszm aan boord van het schip waren, stonden boven verdenking, evenals de Codainse monniken en de cherubijnse Monagi. Het was hoogste onredelijk om de Iszics te verdenken, zodat de Aardmensen overbleven – maar waarom zou een van hen hem kwaad willen doen? Waarom zou wie dan ook hem kwaad willen doen? Vol onbegrip krabde hij op zijn hoofd, waardoor hij de korst beschadigde die hij van zijn val door de boom op Tjiere had overgehouden.

De reis werd routine – gestadige identieke uren onderbroken door maaltijden en slaapperioden in het ritme dat de passagiers kozen. Om aan de verveling te ontkomen, of misschien omdat hij door de verveling niets beters wist te bedenken, begon Farr een onschuldige flirt met mevrouw Anderview. Haar echtgenoot was verdiept in het schrijven van een omvangrijk verslag over de prestaties van zijn missie in Dapa Coory, op de planeet Mazen, en men zag hem alleen bij de maaltijden zodat mevrouw Anderview meestentijds op zichzelf was aangewezen – en op Farr. Ze was een gracieuze vrouw, met een rijpe mond en een provocerende glimlach. Farrs aandeel in de affaire ging niet verder dan een zekere geestestoestand, een warme klank in zijn stem, een veelbetekenende blik of twee – op zijn best bleef het een lauwe aangelegenheid. Hij was dan ook verrast toen mevrouw Anderview, wier voornaam hij niet eens kende, op een avond op een bepaalde verlegen, roekeloze manier glimlachend zijn hut inkwam.

Farr ging met zijn ogen knipperend rechtop zitten.

'Mag ik binnenkomen?'

'U bent al binnen.'

Mevrouw Anderview knikte langzaam en schoof de deur achter zich dicht. Farr zag opeens dat zij veel knapper was dan hij had willen weten, en hij rook een ondefinieerbaar zoet parfum: aloës, kardamom, limone.

Ze ging naast hem zitten. 'Ik verveel me zo,' klaagde ze. 'Nacht aan nacht zit Merritt te schrijven, en steeds hetzelfde. Hij denkt aan niets anders dan zijn begroting. En ik – ik hou van plezier maken.'

De uitnodiging had nauwelijks explicieter kunnen zijn. Farr bezag de situatie van alle kanten. Hij schraapte zijn keel, terwijl mevrouw Anderview, licht blozend, hem aankeek.

Er werd op de deur geklopt. Farr sprong overeind, alsof hij al schuldig was. Hij schoof de deur op een kier. Daar stond Omon Bozhd.

'Farr Sainh, mag ik u even raadplegen? Het zou een grote eer zijn.'

'Och,' zei Farr, 'ik ben eigenlijk bezig.'

'Deze kwestie is van groter belang.'

Farr richtte zich tot de vrouw: 'Een ogenblik, ik ben zo weer terug.'

'Schiet op!' Ze leek heel ongeduldig. Farr keek haar verrast aan en deed zijn mond al open.

'St,' waarschuwde ze hem. Farr haalde zijn schouders op en stapte de gang in.

'Wat is er aan de hand?' vroeg hij aan Omon Bozhd.

'Farr Sainh – zou u uw leven willen redden?'

'Bijzonder graag zelfs,' zei Farr. 'Maar...'

'Nodig mij uit in uw hut.' Omon Bozhd deed een stap naar voren.

'Er is eigenlijk geen plaats,' zei Farr. 'En trouwens...'

De Iszic zei ernstig: 'U begrijpt toch het patroon, nietwaar?'

'Nee,' zei Farr. 'Ik zou willen – maar ik vrees dat ik het niet begrijp.'

Omon Bozhd knikte. 'Uw galante verlangens dient u op te schorten. Laten we uw hut binnengaan. Er is niet veel tijd.' Hij deed de deur open en stapte erdoor. Farr kwam achter hem aan, ervan overtuigd dat hij een idioot was, maar zonder precies te weten wat voor soort idioot.

Mevrouw Anderview sprong overeind. 'O,' hijgde ze blozend. 'Meneer Farr!'

Farr stak hulpeloos zijn handen uit. Mevrouw Anderview maakte aanstalten op hoge poten de kajuit te verlaten, maar Omon Bozhd stond in de weg. Zijn bleke mond spleet open in een grijns die zijn bleke verhemelte en zijn boog van puntige tanden toonde.

'Alstublieft, mevrouw Anderview, ga nog niet, uw reputatie is veilig.'

'Ik heb geen tijd te verspillen,' zei ze scherp. Farr zag opeens dat ze niet knap was, dat haar gezicht geknepen was en haar ogen boos en zelfzuchtig waren.

'Alstublieft,' zei Omon Bozhd, 'nog niet. Ga zitten, als u wilt.'

Klop-klop op de deur. Een stem schor van woede: 'Doe open, doe open daar binnen!'

'Welzeker,' zei Omon Bozhd. Hij wierp het paneel open. Daar stond Anderview omlijsd. Het wit van zijn ogen was te zien. Hij had een brijzelpistool in zijn trillende hand. Hij zag Omon Bozhd, zijn schouders zakten in, zijn kaken werden slap.

'Sorry dat ik u niet binnenvraag,' zei Farr. 'Het is hier een beetje vol.'

Anderview reorganiseerde zijn hartstocht. 'Wat is hier aan de gang?'

Mevrouw Anderview drong zich de gang op. 'Niets,' zei ze met een keelstem. 'Helemaal niets.' Ze stoof de gang af.

Met een achteloze stem zei Omon Bozhd tegen Anderview: 'Er is hier niets voor u. Misschien kunt u zich beter bij uw dame voegen.'

Langzaam draaide Anderview zich op zijn hakken om en vertrok.

Farrs knieën knikten. Hier waren diepten die hij niet kon peilen, kronkels van motieven en doeleinden... oogmerken... Hij zonk neer op het bed, brandend van schaamte bij de gedachte hoe het tweetal hem naar hun pijpen had laten dansen.

'Een uitstekend voorwendsel om een man te

doden,' merkte de Iszic op. 'Althans in het kader van Aardse begrippen.'

Farr keek scherp op bij het horen van een sarcastische ondertoon. Met tegenzin zei hij: 'Ik geloof dat u mijn huid heeft gered – een paar vierkante voet ervan, in ieder geval.'

Omon Bozhd bewoog zijn hand, een gebaar met een ontbrekende kijker. 'Een nietig voorval.'

'Niet voor mij,' gromde Farr. 'Ik ben op mijn huid gesteld.'

De Iszic maakte aanstalten om weg te gaan.

'Eén moment,' zei Farr. Hij kwam overeind. 'Ik wil weten wat zich hier afspeelt.'

'Spreekt de kwestie niet voor zichzelf?'

'Misschien ben ik stom.'

De Iszic staarde hem nadenkend aan. 'Wellicht bent u te zeer bij de situatie betrokken om het geheel te overzien.'

'Bent u van de Szecr?' vroeg Farr.

'Alle buitenlandse agenten zijn van de Szecr.'

'Nou, wat is er aan de gang? Waarom hebben de Anderviews het op mij gemunt?'

'Zij hebben u gewogen, uw nut gewogen tegen het gevaar dat u vertegenwoordigt.'

'Dat is volslagen fantastisch!'

Omon Bozhd richtte beide segmenten van zijn ogen op Farr. Hij sprak op nadenkende toon: 'Iedere seconde van het bestaan is een nieuw wonder. Bezie de talloze varianten en mogelijkheden die ons iedere seconde te wachten staan – paden naar de toekomst. Wij kiezen er slechts één van; wie weet waar de andere gaan? Dit is het eeuwige wonder, de magnifieke onzekerheid van de volgende seconde, terwijl het verleden een gestaag afrollend karpet van onthulling is.'

'Ja, ja,' zei Farr.

'Onze geest raakt verdoofd voor het wonder van het leven, juist door de druk en de omvang ervan.' Omon Bozhd nam zijn ogen eindelijk van Farr af. 'In zo'n perspectief heeft deze affaire niet meer of minder intrinsiek belang dan het scheppen van een enkele ademtocht.'

Farr zei stijf: 'Ik kan net zo vaak ademen als ik wil. Ik kan slechts één keer sterven, dus schijnt er toch wel een zeker praktisch verschil te zijn. Kennelijk denkt u er ook zo over – en ik geef toe dat ik bij u in de schuld sta. Maar... waarom?'

Omon Bozhd zwaaide met zijn denkbeeldige kijker. 'De Iszics redeneren natuurlijk anders dan de Aardbewoners. Niettemin delen wij zekere instincten, zoals eerbied voor levenskracht en de opwelling om onze kennissen bij te staan.'

'Ik snap het,' zei Farr. 'Uw daad was dus zuiver een welwillende vriendendienst.'

Omon Bozhd boog. 'Als zodanig moogt u het beschouwen. En nu wens ik u goedenacht.' Hij verliet de hut.

Ontsteld zat Farr op zijn bed. In de laatste minuten waren de Anderviews gemetamorfoseerd van een vriendelijke, nogal gereserveerde missionaris en zijn aantrekkelijke vrouw in een tweetal genadeloze moordenaars. Maar waarom? *Waarom?*

Farr schudde mistroostig zijn hoofd over dit raadsel. De ondercommandant van de Szecr had over een giftige doorn en een vergiftigd drankje gesproken: blijkbaar waren ook die hun verantwoordelijkheid. Boos sprong hij op de vloer, beende naar de deur, schoof hem open en keek door de gang. Links en rechts glom het grijze glazen lint. Boven hem liep een soortgelijk lint langs de hutten op het volgende dek. Zonder veel geluid liep Farr naar het eind van de gang en keek door de boog in de zaal. De twee jonge toeristen, de sanitair-ingenieur, en twee Iszics speelden poker. De Iszics waren aan de winnende hand. Eén deel van hun ogen hielden ze op de kaarten gericht en het andere deel op de gezichten van hun tegenspelers.

Farr draaide zich om. Hij klom de ladder naar het bovendek op. Het was er stil, afgezien van de gebruikelijke, maar half gehoorde geluiden van het schip – het zuchten van pompen, het murmelen van circulerende lucht, het gedempte geroezemoes uit de zaal.

Farr vond de deur met het bordje *Merritt en Anthrea Anderview*. Hij aarzelde, luisterde. Hij hoorde niets, geen stemmen, geen rumoer. Hij stak zijn hand uit om te kloppen, wachtte toen. Hij herinnerde zich Omon Bozhds verhandeling over het leven, de oneindigheid van paden naar de toekomst... Hij kon kloppen, hij kon zich omdraaien en naar zijn hut teruggaan. Hij klopte.

Niemand reageerde. Farr keek de gang op en neer. Hij kon altijd nog terug naar zijn hut. Hij probeerde de deur. Die ging open. De kamer was donker. Farr drukte zijn elleboog tegen de lijst; het licht vulde de kamer. Merritt Anderview zat stijf in een stoel en keek hem aan met een open, onbevreesde blik.

Farr zag dat hij dood was. Anthea Anderview lag in de onderste kooi, ontspannen en bedaard.

Farr inspecteerde haar niet van dichtbij, maar zij was ook dood. Een met geringe sterkte vibrerend brijzelpistool had hun hersens gehomogeniseerd; hun gedachten en herinneringen waren een bruin mengelmoes; hun uitverkoren paden naar de toekomst waren afgebroken. Farr bleef stilstaan. Hij probeerde zijn adem in te houden, maar hij wist dat het kwaad al geschied was. Hij stapte achteruit en sloot de deur. Weldra zou de steward de lijken vinden... Intussen – Farr dacht na met groeiend onbehagen. Misschien had iemand hem gezien. Zijn stomme flirt met Anthea Anderview zou algemeen bekend kunnen zijn, misschien zelfs de confrontatie met Merritt Anderview. Zijn aanwezigheid in deze hut kon makkelijk worden vastgesteld. Op ieder voorwerp in het vertrek zou een dun laagje van zijn ademhaling liggen. Voor de rechtbank was dat voldoende identificatie als kon worden aangetoond dat niemand anders op het schip in zijn uitademingsgroep thuishoorde.

Farr draaide zich om. Hij ging naar de zaal. Niemand scheen hem te zien. Hij klom de ladder op naar de brug en klopte op de deur van de kapiteinshut.

Kapitein Dorristy opende de deur – een stevig gebouwde, zwijgzame man met turende zwarte ogen. Achter Dorristy stond Omon Bozhd. Farr dacht dat zijn wangspieren verstrakten en dat zijn hand een ruk gaf alsof hij met zijn kijker speelde.

Plotseling voelde Farr zich op zijn gemak. Welke klap Omon Bozhd ook had willen uitdelen, Farr had hem ontweken. 'Twee passagiers zijn dood – de Anderviews.'

Omon Bozhd richtte allebei zijn oogsegmenten op Farr; koude vijandschap.

'Dat is boeiend,' zei Dorristy. 'Kom binnen.' Omon Bozhd wendde zijn blik af.

Met zachte stem zei Dorristy: 'Bozhd hier vertelt me net dat u de Anderviews heeft vermoord.'

Farr keek de Iszic aan. 'Hij is waarschijnlijk de

geloofwaardigste leugenaar op het schip. Hij heeft het zelf gedaan.'

Dorristy grijnsde terwijl hij van de een naar de ander keek. 'Hij zegt dat u achter de vrouw aanzat.'

'Ik was attent voor haar op een hoffelijke wijze. Dit is een saaie reis. Tot nu toe.'

Dorristy keek naar de Iszic. 'Wat zegt u, Omon Bozhd?'

De Iszic zwaaide met zijn denkbeeldige kijker. 'Iets meer dan hoffelijkheid bracht mevrouw Anderview naar Farrs hut.'

Farr zei: 'Iets anders dan altruïsme bracht Omon Bozhd naar mijn hut om te voorkomen dat Anderview mij neerschoot.'

Omon Bozhd veinsde verrassing. 'Ik weet niets van uw affaires.'

Farr bedwong zijn woede en keerde zich naar de kapitein. 'Gelooft u hem?'

Dorristy grijnsde zuur. 'Ik geloof niemand.'

'Dit is wat er gebeurd is. Het is moeilijk te geloven maar waar.' Farr vertelde zijn verhaal. '... nadat Bozhd vertrokken was, sloeg ik aan het denken. Ik wilde zekerheid hebben, hoe dan ook. Ik ging naar de hut van de Anderviews. Ik deed de deur open, ik zag dat ze dood waren. Meteen kwam ik hiernaartoe.'

Dorristy zei niets, maar nu tuurde hij naar Omon Bozhd en niet meer naar Farr. Eindelijk haalde hij zijn schouders op. 'Ik zal de hut laten verzegelen. Jullie zien maar wat er gebeurt als we op Aarde landen.'

Omon Bozhd wendde de onderste helft van zijn ogen af. Achteloos zwaaide hij met de kijker die er niet was. 'Ik heb Farrs verhaal aangehoord,' zei hij met bedachtzame stem. 'Zijn openhartigheid heeft indruk op me gemaakt. Ik geloof dat ik me heb vergist. Het is niet waarschijnlijk dat hij de misdaad heeft gepleegd. Ik trek mijn beschuldiging in.' Hij beende de hut uit. Farr keek hem boos maar triomfantelijk na.

Dorristy keek naar Farr. 'U heeft ze niet gedood, hè?'

Farr snoof. 'Natuurlijk niet.'

'Wie dan wel?'

'Ik denk een van de Iszics. Waarom? Geen idee.'

Dorristy knikte en zei toen bars uit zijn mondhoek: 'We zien wel als we landen op Barstow.' Hij keek Farr zijdelings aan. 'U zou me plezier doen als u hierover zwijgt. Spreek er met niemand over.'

'Dat was ik ook niet van plan,' zei Farr kort.

Acht

De lijken werden gefotografeerd en naar een vriesruimte overgebracht; de kajuit werd verzegeld. Het schip gonsde van geruchten en Farr merkte dat het moeilijk was het onderwerp Anderviews te vermijden.

De Aarde naderde. Farr voelde geen grote vrees, maar de onzekerheid, het grote mysterie bleef: waarom hadden de Anderviews hem eigenlijk te grazen willen nemen? Zou hij op Aarde nog meer gevaar te duchten hebben? Hij werd boos. Deze intriges hadden niets met hem te maken; hij wilde er niet bij betrokken worden. Maar uit zijn onderbewuste drong zich een akelige zekerheid op: hij wás er bij betrokken, hoe bitter hij dat idee ook verwierp. Hij had wel andere dingen te doen – zijn werk, zijn dissertatie, het samenstellen van een stereo die hij aan een van de omroepmaatschappijen hoopte te verkopen.

En er was nog iets, een eigenaardige drang, een druk, iets dat gebeuren moest. Op vreemde momenten werd hij erdoor overvallen – een ontevredenheid, als een onopgelost vraagstuk ergens diep in zijn geest. Het hield niet direct verband met de Anderviews en hun moordenaar, met niets. Het was iets dat gedaan moest worden, iets dat hij was vergeten... of nooit had geweten...

Omon Bozhd sprak nog één keer met hem. In de zaal kwam hij op Farr af. Achteloos zei hij: 'U bent nu op de hoogte van het gevaar dat u bedreigt. Op Aarde ben ik misschien niet in staat u te helpen.'

Farrs wrok was niet minder geworden. Hij zei:

'Op Aarde zult u vermoedelijk geëxecuteerd worden wegens moord.'

'Nee, Aile Farr Sainh, de moorden zullen mij niet worden toegeschreven.'

Farr bestudeerde het bleke smalle gezicht. Iszic en Aardbewoner – uit verschillende soorten geëvolueerd tot dezelfde humanoïde vorm: aapachtig enerzijds, amfibisch anderzijds. Maar nooit zou er begrip of sympathie tussen de twee rassen ontstaan. Nieuwsgierig vroeg hij: 'Heeft u ze dan niet vermoord?'

'Is het nodig zulke voor de hand liggende zaken voor te kauwen voor iemand van Aile Farrs intelligentie?'

'Ga je gang maar, kauw het voor. Hérkauw het. Ik ben dom. Heb je ze gedood?'

'Het is onvriendelijk van u om een antwoord op deze vraag te verlangen.'

'Goed, geef dan geen antwoord. Maar waarom heb je geprobeerd mij de schuld in de schoenen te schuiven? Je weet dat ik het niet heb gedaan. Wat heb je tegen me?'

Omon Bozhd glimlachte zuinig. 'Helemaal niets. Het zou nooit bewezen kunnen worden dat de misdaad, als het een misdaad was, door u was gepleegd. Het onderzoek zou u twee of drie dagen hebben opgehouden, en in die tijd zouden andere zaken tot rijping kunnen komen.'

'Waarom heb je je aanklacht ingetrokken?'

'Ik zag dat ik een fout had gemaakt. Ik ben een hominide – verre van onfeilbaar.'

Een plotselinge woede dreigde Farr de adem te benemen. 'Waarom hou je niet op met je insinuaties en toespelingen? Als je iets te zeggen hebt – zeg het dan.'

'Farr Sainh zelf wil op de zaak doorgaan. Ik heb niets te zeggen. De boodschap die ik voor u had, heb ik overgebracht: hij verwacht niet van mij dat ik mijn ziel blootleg.'

Farr knikte en grijnsde. 'Van één ding kun je zeker zijn – als ik een kans zie om het spel dat jij speelt te vernachelen, dan doe ik dat ook.'

Uur na uur verhelderde de ster die de thuiszon was; uur na uur kwam de Aarde dichterbij. Farr merkte dat hij niet kon slapen. Het zuur stond hem in de maag. Verbolgenheid, verbijstering en ongeduld smolten samen tot een depressie waarvan de gevolgen lichamelijk waren. Bovendien was zijn scalp nooit goed genezen; de wond jeukte en brandde. Hij vermoedde dat hij een Iszic infectie had opgelopen. Dat vooruitzicht verontrustte hem. Hij stelde zich voor dat de infectie voortwoekerde, dat zijn haar uitviel, dat zijn scalp verbleekte tot de waterige melkkleur van de Iszic. En zijn raadselachtige innerlijke drang nam ook niet af. Hij speurde zijn geest af. Hij liet de dagen en de maanden aan zijn innerlijke oog voorbijtrekken, hij maakte aantekeningen en samenvattingen, hij formuleerde hypothesen en controleerde ze zonder er wijzer van te worden. Daarop verfrommelde hij het hele probleem, alle aantekeningen en papieren, tot een bal en smeet die weg. En eindelijk, na de langste, bitterste reis die hij ooit had gemaakt, zweefde het RS *Andrei Simic* het zonnestelsel binnen.

Negen

Zon, Aarde, Maan: een archipel van heldere ronde eilanden na een lange tocht over een donkere zee. De Zon dreef opzij naar de ene kant, de Maan gleed weg naar de andere. Vooruit zwol de Aarde op: grijs, groen, bruin, wit, blauw – vol wolken en winden, zonnebrand, vorst, tocht, kou en stof, de navel van het heelal, het eindstation, doorgangshuis, depot, dat de andere rassen als provincialen bezochten.

Het was middernacht toen de romp van de *Andrei Simic* in aanraking kwam met de Aarde. De generatoren doorliepen hun dalend lied vanuit het onhoorbare deel van het geluidsspectrum, schril fluitend, via sopraan, tenor, bariton, en bas en weer naar het onhoorbare.

De passagiers wachtten in de salon, en de Anderviews waren als gaten in een kaak waaruit tanden waren getrokken. Iedereen was gespannen en nerveus, zat op de rand van zijn stoel of stond stijf te wachten.

De pompen sisten terwijl ze de atmosfeer aanpasten. Door de patrijspoorten straalde kunstlicht naar binnen. De sluis ging galmend open; er klonk stemmengemompel; kapitein Dorristy loodste een lange man met een bot, intelligent gezicht, kort haar en een donkerbruine huid binnen.

'Dit is rechercheur Kirdy van de Speciale Dienst,' zei hij. 'Hij zal de dood van de heer en mevrouw Anderview onderzoeken. Werk alstublieft met hem mee; des te eerder herkrijgen we allemaal onze vrijheid.'

Niemand zei iets. De Iszics stonden als ijsstandbeelden opzij van de rest. Uit achting voor de Aardse gewoonten droegen ze broeken en capes. Hun houding bracht een indruk van argwaan en wantrouwen over, alsof ze zich zelfs op Aarde gedwongen voelden hun geheimen te bewaken.

Drie rechercheurs van mindere rang betraden de salon, keken nieuwsgierig om zich heen, en de spanning onder de passagiers steeg nog meer.

Kirdy zei met een aangename stem: 'Ik zal u zo kort mogelijk ophouden. Ik wil graag met de heer Omon Bozhd spreken.'

Omon Bozhd inspecteerde Kirdy door zijn kijker, die hij nu in zijn hand had, maar de rechterschouder van de rechercheur was geen stralende banier van lichtjes; hij was nooit op Iszm geweest; hij had zich nimmer voorbij de Maan gewaagd.

Omon Bozhd trad naar voren. 'Ik ben Omon Bozhd.'

Kirdy nam hem mee naar de kapiteinshut. Tien minuten later verscheen er een assistent in de deuropening. 'Meneer Aile Farr.'

Farr stond op en liep achter de assistent de salon uit.

Kirdy en Omon Bozhd zaten elkaar aan te kijken, een studie in contrasten: de laatste was bleek, sober, scherp getekend; de ander donker, warm, recht door zee.

Tegen Farr zei de rechercheur: 'Ik heb graag dat u naar het verhaal van meneer Bozhd luistert, en me vertelt wat u ervan denkt.' Aan de Iszic vroeg hij: 'Wilt u zo vriendelijk zijn uw verklaring te herhalen?'

'In wezen,' zei Omon Bozhd, 'is de situatie als volgt. Zelfs nog voor wij uit Jhespiano vertrokken, had ik reden om te vermoeden dat de Anderviews kwaad in de zin hadden jegens Farr Sainh. Ik bracht mijn vermoedens over aan mijn vrienden.'

'De andere heren van Iszm?' vroeg Kirdy.

'Precies. Met hun hulp installeerde ik een inspectiecel in de hut van de Anderviews. Mijn vrees was gerechtvaardigd. Zij gingen terug naar hun hut, en daar werden zij zelf gedood. In mijn hut was ik getuige van het gebeuren. Farr Sainh had natuurlijk niets met de zaak te maken. Hij was – en is – volmaakt onschuldig.'

Ze bestudeerden Farr angstvallig. Farr keek boos. Was hij zo opvallend ongekunsteld, zo weinig scherpzinnig?

Omon Bozhd richtte een deel van zijn ogen weer op Kirdy. 'Zoals ik zeg, was Farr onschuldig. Maar het leek mij verstandig als hij werd opgesloten en zo aan verder gevaar onttrokken, waarom ik hem valselijk beschuldigde. Farr Sainh weigerde mee te werken, begrijpelijk genoeg, en verijdelde mijn plan. Kapitein Dorristy hechtte geen geloof aan mijn beschuldiging, dus trok ik hem in.'

Kirdy vroeg aan Farr: 'Wat zeg u van dit alles, meneer Farr? Gelooft u nog steeds dat meneer Bozhd de moordenaar is?'

Farr streed met zijn woede. 'Nee,' siste hij tussen zijn tanden. 'Zijn verhaal is zo... zo volkomen fantastisch dat het wel waar zal zijn.' Omon Bozhd aankijkend vroeg hij: 'Waarom vertel je het niet? Je zegt dat je alles hebt gezien. Wie heeft de moorden gepleegd?'

Omon Bozhd gebaarde met zijn lorgnet. 'Ik heb uw wetten over de berechting doorgebladerd. Mijn beschuldiging zou niet veel gewicht in de schaal leggen, de autoriteiten zouden extra bewijs verlangen. Dat bewijs bestaat. Als en wanneer u dat vindt, wordt mijn getuigenis overbodig, of op zijn hoogst aanvullend.'

Kirdy beval zijn assistent: 'Neem huid-, ademen transpiratiemonsters van alle passagiers.'

Toen de monsters genomen waren, ging Kirdy de salon in en deelde mee: 'Ik zal u allen afzonderlijk verhoren. Zij die dat wensen mogen hun verklaring afleggen met hulp van de cefaloscoop, en dan wegen hun reacties natuurlijk zwaarder. Ik herinner u eraan dat het bewijsmateriaal verkregen met de cefaloscoop niet voor de rechter kan worden gebruikt om iemands schuld te bewijzen – alleen om uw onschuld aan te tonen. In het ergste geval gebeurt er niets anders dan dat de cefaloscoop er niet in slaagt u als verdachte te elimineren. Verder wijs ik u erop dat het niet alleen uw recht en voorrecht is om de cefaloscoop te weigeren, maar dat dit door velen een morele plicht wordt gevonden. Daarom wordt het u niet aangerekend als u uw verklaring niet door de cefaloscoop wilt laten verifiëren.'

Het verhoor duurde drie uur. De eersten die ondervraagd werden waren de Iszics. Een voor een verlieten ze de salon en kwamen terug met identieke gezichten van geduldig gedragen verveling. Daarna waren de Codains aan de beurt, en dan de Monagi, vervolgens de diverse niet-Aardbewoners, en toen Farr. Kirdy wees naar de cefaloscoop. 'De keus is aan u.'

Farr was in een slechte stemming. 'Nee,' zei hij. 'Ik haat het ding, u kunt mijn woorden zó accepteren of helemaal niet.'

Kirdy knikte beleefd. 'Uitstekend, meneer Farr.' Hij keek in zijn aantekeningen. 'U heeft de Anderviews voor het eerst ontmoet in Jhespiano, op Iszm?'

'Ja.' Farr beschreef onder welke omstandigheden.

'U had ze nooit eerder gezien?'

'Nooit.'

'Ik heb begrepen dat u tijdens uw bezoek aan Iszm getuige bent geweest van een roofoverval.'

Farr beschreef de gebeurtenis en wat hem daarna was overkomen. Kirdy stelde een vraag of twee, en toen mocht Farr teruggaan.

Een voor een werden de resterende Aardbewoners ondervraagd: Ralf en Willeran, de Wlewska's, de jonge studenten, tot alleen Paul Bengston, de grijze sanitair-ingenieur, overbleef. Kirdy bracht de studenten terug naar de salon. 'Tot dusver,' zei hij, 'is iedereen vrijgesproken door de cefaloscoop, of door ander bewijsmateriaal. Dit laatste bestaat vooral uit het feit dat tot zover de adembestanddelen van niemand overeenkomen met het laagje dat we ontdekt hebben op de armband van mevrouw Anderview.'

Iedereen in de kamer raakte in beroering. Aller ogen dwaalden naar Paul Bengston, die afwisselend rood en wit werd.

'Wilt u met mij meekomen, meneer?'

Bengston stond op, deed een paar passen, keek links en rechts, en liep toen voor Kirdy uit naar de kapiteinshut.

Er gingen vijf minuten voorbij. De assistent kwam binnen. 'Het spijt ons dat wij u hebben laten wachten. U bent allemaal vrij om uit te stappen.'

Het geroezemoes barstte los. Farr bleef zwijgend zitten. Woede, ergenis, vernedering welden in hem op. De druk steeg en overspoelde ten slotte zijn geest met razernij. Hij sprong uit zijn stoel, beende vastbesloten door de salon en klom de trap op naar de kapiteinshut.

Kirdy's assistent hield hem tegen. 'Neemt u mij niet kwalijk, meneer Farr. Ik geloof dat u beter niet kunt storen.'

'Het kan me niet schelen wat u gelooft,' snauwde Farr. Hij rukte aan de deur. Die zat op slot. Hij trommelde erop. Kapitein Dorristy schoof hem een paar decimeter open en stak zijn vierkante gezicht naar buiten.

'Nou? Wat is er loos?'

Farr legde zijn hand op Dorristy's borst, duwde hem achteruit, stootte de deur open en stapte naar binnen. Dorristy haalde uit naar Farrs gezicht. Farr zou het graag hebben aangegrepen als voorwendsel om terug te slaan, om iemand pijn te doen. Maar een van de assistenten kwam tussenbeide.

Kirdy stond tegenover Bengston maar verdraaide nu zijn hoofd. 'Ja, meneer Farr?'

Ziedend, mompelend en rood in het gezicht ging Dorristy achteruit.

Farr vroeg: 'Die man – is hij de schuldige?'

Kirdy knikte. 'Het bewijsmateriaal is eenduidig.'

Farr keek naar Bengston. Het gezicht werd wazig en leek te veranderen, als door een fotografische truc; de oprechte indruk en het vriendelijke goede humeur veranderden in bedrieglijkheid en wreedheid en ongevoeligheid. Farr was verwonderd dat hij zich ooit had laten misleiden. Hij boog zich iets naar voren. De blik van Paul Bengston kruiste de zijne uitdagend en verachtelijk.

'Waarom?' vroeg Farr. 'Waarom is dit allemaal gebeurd?'

Bengston gaf geen antwoord.

'Ik moet het weten,' zei Farr. 'Waarom?'

Nog steeds geen antwoord.

Farr slikte zijn trots in. 'Waarom?' vroeg hij nederig. 'Wilt u het me alstublieft vertellen?'

Bengston haalde zijn schouders op, lachte dwaas.

Farr smeekte: 'Is het iets dat ik weet? Iets dat ik heb gezien? Iets dat ik heb, misschien?'

Een emotie, nauw verwant aan hysterie scheen

Bengston te bevangen. Hij zei: 'Ik hou gewoon niet van de manier waarop je haar gekamd is.' En hij lachte tot hij in tranen uitbarstte.

Kirdy zei grimmig: 'Het is mij niet beter vergaan.'

'Wat kan zijn motief zijn?' vroeg Farr klaaglijk. 'De reden? Waarom wilden de Anderviews mij doden?'

'Als ik erachter kom laat ik het u weten,' zei Kirdy. 'Waar kan ik u bereiken?'

Farr dacht na. Er was iets dat hij moest doen... Hij kwam er nog wel op, maar ondertussen... 'Ik ga naar Los Angeles. Het Imperador Hotel.'

'Idioot,' zei Bengston binnensmonds.

Farr deed een halve stap naar hem toe. 'Kalm aan, meneer Farr,' zei Kirdy.

Farr keerde zich af.

'Ik bel u nog,' zei Kirdy.

Farr keek naar Dorristy. Dorristy zei: 'Vergeet het. U hoeft zich niet te verontschuldigen.'

Tien

Terug in de salon zag Farr dat de andere passagiers waren uitgestapt en bij de immigratiecontrole waren. Gehaast volgde Farr ze naar buiten, bijna in claustrofobische paniek. Het RS *Andrei Simic*, de magnifieke vogel van de ruimte, omknelde hem als een boei, een doodskist; hij kon niet langer wachten, hij moest de aarde van zijn eigen planeet onder zijn voeten voelen.

Het was al bijna ochtend. De wind uit de Mojave blies in zijn gezicht, geurend naar bijvoet en woestijnstof. De sterren flonkerden verblekend in het oosten. Boven aan de loopplank keek Farr automatisch op en zocht Arrigae. Daar: Capella, daar – allerzwakste glinstering – Xi Aurigae, waarnaast Iszm wentelde. Farr liep de plank af en plantte zijn voet op de grond. Hij was terug op Aarde. De schok scheen een idee in zijn hoofd los te maken. Natuurlijk, dacht hij, met een gevoel van opluchting, het beste wat ik kan doen, de juiste man om naartoe te gaan: K. Penche.

Morgen. Eerst naar Hotel Imperador. Een bad in vijfhonderd liter heet water. Vijfhonderd liter whisky voor het slapengaan. En dan naar bed.

Omon Bozhd kwam op hem af. 'Het was een genoegen u te kennen, Farr Sainh. Een woord van advies: wees uiterst behoedzaam. Ik vermoed dat u nog altijd in groot gevaar verkeert.' Hij boog en liep weg. Farr stond hem na te kijken. Hij was niet geneigd de waarschuwing in de wind te slaan.

De immigratie hield hem niet lang op en daarna verstuurde hij zijn bagage naar het Imperador. Voorbij de rij helitaxi's lopend stapte hij in de schacht naar de openbare metro. De schijf verscheen onder zijn voeten (altijd even spannend, altijd de gedachte: als de schijf nu eens niet kwam? Deze ene keer?).

De schijf ging langzamer en stopte. Farr betaalde voor de rit, riep een eenpersoonswagen naar het perron, sprong erin, sloeg zijn bestemming aan en ontspande zich. Hij kon zijn gedachten niet ordenen. De beelden stroomden door zijn geest: de ruimte, Jhespiano, Iszm, de huizen met hun peulen. Hij voer in de *Lhaiz* naar het Tjiere-atol. Hij voelde weer de schrik van de overval op de akkers van Zhde Patasz, de val door de wortel in de kerker, de opsluiting met de Thord – en later de verschrikkelijke belevenis op Zhde Patasz' experimentele eilandje... De beelden verdwenen, ze waren een herinnering, ver weg, verder dan de lichtjaren tot Iszm.

Het gonzen van de wagen kalmeerde hem. Zijn oogleden werden zwaar; hij begon te soezen.

Met zijn ogen knipperend dwong hij zichzelf wakker te blijven. Schimmig, een reeks van droombeelden, deze hele affaire. Maar het was echt. Farr deed zijn best om nuchter na te denken. Maar zijn geest weigerde plannen te maken. De prikkels waren hun angels kwijt. Hier in de metro, de doodnormale ondergrondse metro, leek moord onmogelijk...

Maar één man op Aarde kon hem helpen: K. Penche, agent voor de Aarde van de Iszic huizen, de man aan wie Omon Bozhd slecht nieuws bracht.

De wagen trilde, gaf een ruk en zwenkte van de hoofdbuis af naar de oceaan. Hij maakte nog tweemaal een bocht terwijl hij zich door het doolhof van lokale buizen vlocht en hield ten slotte stil.

De deur schoot open en een geüniformeerde bediende hielp hem op het perron. Hij boekte in een cel met een stereoscherm; een lift voerde hem vijftig meter naar het oppervlak en nog eens honderdvijftig meter naar zijn verdieping. Hij werd naar een lange kamer gebracht die gedecoreerd was in aangename tinten olijfgroen, strogeel, roestbruin en wit. De ene wand was geheel van glas en keek uit op Santa Monica, Beverly Hills en de oceaan. Farr zuchtte tevreden. Iszic huizen waren in veel opzichten heel opmerkelijk, maar nooit zouden ze Hotel Imperador overtreffen.

Farr nam een bad. Ronddrijvend in heet water met een vleug limoenparfum werd hij betast door ritmische vingers van koeler water die zijn benen, zijn rug, zijn ribben en schouders masseerden... Hij viel bijna in slaap. De bodem van de kuip kantelde geleidelijk tot een verticale stand en zette hem op zijn voeten. Luchtvlagen droogden hem; de straling van een hoogtezon zette zijn huid even in brand.

Toen hij uit het bad kwam stond er een groot glas whisky-soda op hem te wachten – geen vijfhonderd liter, maar genoeg. Hij ging met het glas bij het raam staan terwijl hij genoot van zijn gevoel van totale uitputting.

De zon kwam op; gouden licht spoelde als een vloed over de uitgestrekte wereldstad. Ergens daarbuiten, in de luxe wijk die vroeger bekend had gestaan als Signal Hill, woonde K. Penche. Farr was even verbaasd. Vreemd, dacht hij, hoe Penche de oplossing van alles betekende. Ach, als hij de man zag merkte hij wel of dat waar was of niet. Farr polariseerde het raam en het licht verdween uit de kamer. Hij zette de muurwekker op twaalf uur 's middags, zonk in het bed en viel in slaap.

Het raam depolariseerde zichzelf en het daglicht kwam de kamer in. Farr werd wakker, ging rechtop zitten en tastte naar het menu. Hij bestelde koffie, grapefruit, ham en eieren. Toen sprong hij uit bed en ging naar het raam. De grootste stad van de wereld spreidde zich voor hem uit zover hij kon zien, witte torens die in de geelbruine nevel versmolten, overal een trillen en vibreren van handel en leven.

De muur schoof een gedekte tafel met zijn ontbijt naar buiten. Farr wendde zich af van het raam, ging zitten en at terwijl hij naar het nieuws op het stereoscherm keek. Even vergat hij zijn moeilijkheden. Na zijn lange afwezigheid was hij zijn band met het nieuws kwijtgeraakt. Gebeurtenissen waar hij een jaar geleden overheen zou hebben gekeken, leken opeens interessant. Hij voelde zich opgewekt. Het was goed om thuis te zijn op Aarde.

De stem van het nieuwsscherm zei: 'En nu een paar flitsen uit de ruimte. Het is net bekend geworden dat aan boord van de *Andrei Simic* van de Rode Bal Paketvaartlijnen twee passagiers, zogenaamd missionarissen op de terugweg van hun missie in de Mottram-groep...'

Farr keek. Zijn ontbijt was vergeten, zijn opgewekte gloed vervaagde.

De stem deed het verhaal. Het scherm toonde het ruimteschip: eerst van buiten, daarna een doorsnede met een pijl die de aandacht vestigde op 'de kajuit van de doden'. Hoe huiselijk en onbezorgd klonk deze omroeper! Hoe ver weg en bijkomstig beschreef hij de gebeurtenis!

'... de twee slachtoffers en de moordenaar zijn allemaal geïdentificeerd als leden van het beruchte Zwaar-Weermisdaadsyndicaat. Blijkbaar hadden zij een bezoek gebracht aan Iszm, de derde planeet van Xi Aurigae, in een poging een vrouwelijk huis naar buiten te smokkelen.'

De stem sprak verder. Op het scherm verschenen afbeeldingen van de Anderviews en Paul Bengston.

Farr klikte het scherm af en duwde de tafel terug in de muur. Weer liep hij naar het raam voor een blik op de stad. Het was dringend. Hij moest Penche spreken.

Uit de kast met het opschrift *maat twee* koos hij ondergoed, een lichtblauw pak, sandalen. Terwijl hij zich aankleedde deelde hij zijn dag in. Eerst natuurlijk naar Penche... Farr fronste, liet de gesp van zijn sandaal even met rust. Wat moest hij Penche vertellen? Trouwens, waarom zou Penche zich bekommeren om zijn problemen? Wat kon Penche doen? Zijn monopolie was afhankelijk van de Iszics; hij zou vast niet het risico nemen ze tegen zich in het harnas te jagen.

Farr haalde diep adem en schudde deze ergeniswekkende gedachten van zich af. Het was onlogisch, maar Penche was zeer beslist de juiste man om op te zoeken. Hij wist het zeker; hij voelde het in zijn botten.

Toen hij aangekleed was ging hij naar het stereoscherm en belde het kantoor van K. Penche. Het vignet van Penche verscheen in beeld – een gestileerd Iszic huis met verticaal in zwarte letters *K. Penche – Huizen.* Farr had de cameraknop niet aangeraakt zodat zijn eigen beeld niet naar Penches kantoor werd overgezonden; een instinctieve voorzorg.

De stem van een vrouw zei: 'K. Penche Ondernemingen.'

'Hier...' Farr aarzelde maar noemde zijn naam

niet. 'Verbind mij met meneer Penche.'

'Wie spreekt?'

'Mijn naam is vertrouwelijk.'

'Waarover wilt u spreken?'

'Dat is ook vertrouwelijk.'

'Ik verbind u met de secretaresse van meneer Penche.'

De beeltenis van de secretaresse doemde op – een jonge vrouw met een lome charme. Farr herhaalde zijn verzoek. De vrouw keek naar haar scherm. 'Zend uw beeld over, alstublieft.'

'Nee,' zei Farr. 'Verbind me met meneer Penche – ik zal rechtstreeks met hem spreken.'

'Ik ben bang dat dat onmogelijk is,' zei de vrouw. 'Dit kantoor houdt er andere gewoonten op na.'

'Zeg meneer Penche dat ik zojuist van Iszm gearriveerd ben met de *Andrei Simic.*'

De secretaresse draaide zich half om en sprak in een rooster. Na een seconde versmolt haar gezicht in dat van K. Penche. Het was een massief, krachtig gezicht, als een stuk zware machinerie. De ogen brandden in diepe, rechthoekige kassen, zijn mond werd dichtgeknepen door spierbundels. De wenkbrauwen rezen omhoog in een ironische boog; zijn uitdrukking was aangenaam noch onaangenaam.

'Wie spreekt?' vroeg hij.

De woorden stegen op in Farrs hersens als

luchtbellen vanaf de bodem van een donker vat. Het waren woorden die hij helemaal niet had willen zeggen. 'Ik ben van Iszm gekomen; ik heb het.' Verbijsterd luisterde Farr naar zichzelf. Weer kwamen de woorden. 'Ik ben van Iszm gekomen...' Hij klemde zijn tanden op elkaar en weigerde geluid te maken. De lettergrepen kwamen niet voorbij de barrière.

'Wie is dat? Waar bent u?'

Farr stak zijn hand uit en schakelde het scherm uit. Slap zakte hij in zijn stoel. Wat gebeurde er? Hij had niets voor Penche. Het ging natuurlijk om een vrouwelijk huis. Farr was misschien wel naïef maar ook weer niet zo naïef. Hij had geen huis, zaad, zaailing of kiemplant.

Waarom wilde hij Penche eigenlijk spreken? Eindelijk wist zijn lang onderdrukte gezonde verstand zijn stem te verheffen. Penche kon hem niet helpen... Maar een stem uit een ander deel van zijn hersens zei: Penche kent het klappen van de zweep, hij zal je goede raad geven... Ach, ja, dacht Farr zwak. Dat zou best waar kunnen zijn.

Hij kalmeerde. Ja, natuurlijk – dat was de reden. Maar aan de andere kant was Penche een zakenman die afhankelijk was van de Iszics. Als Farr naar iemand toe wilde, dan moest hij naar de politie gaan, naar de Speciale Dienst. Nadenkend wreef hij over zijn kin. Natuurlijk kon het geen kwaad om de man op te zoeken, het eens uit te praten.

Walgend van zichzelf sprong Farr overeind. Het was onredelijk. Waarom zou hij naar Penche gaan? Noem eens één goede reden... Er was helemaal geen enkele reden. Hij nam een definitief besluit: hij wilde niets met Penche te maken hebben.

Hij ging de kamer uit, nam de lift naar de hal van het hotel en liep naar de balie om een bankbon te verzilveren. Hij moest een paar seconden wachten terwijl de bon naar de bank werd overgeseind. Ongeduldig tikte hij met zijn nagel op de balie. Naast hem stond een zwaargebouwde man met een kikkergezicht met de bediende te ruziën. Hij wilde een boodschap aan een van de gasten afgeven, maar de bediende voelde er niet veel voor. De zware man begon woedend te spreken; de bediende stond achter zijn glazen bolwerk, kieskeurig, netjes, en schudde zijn hoofd. Sereen in de kracht van zijn regels en voorschriften, deed het hem plezier de boodschapper te dwarsbomen.

'Als u zijn naam niet weet, hoe weet u dan dat hij in het Imperador is?'

'Ik weet dat hij hier is,' zei de man. 'Het is belangrijk dat hij het bericht krijgt.'

'Het klinkt heel vreemd,' peinsde de bediende. 'U weet niet hoe hij eruitziet, u weet zijn naam niet... U zou de boodschap best aan de verkeerde kunnen geven.'

'Dat is mijn zorg!'

Glimlachend schudde de bediende zijn hoofd. 'Blijkbaar weet u alleen dat hij vanochtend om vijf uur is aangekomen. Wij hebben verscheidene gasten die om die tijd zijn binnengekomen.'

Farr telde zijn geld. Hij talmde, schikte de biljetten in zijn portefeuille.

'Deze man is uit de ruimte gekomen. Hij kwam net van de *Andrei Simic.* Weet je nu wie ik bedoel?'

Farr liep vlug weg. Hij wist heel goed wat er was gebeurd. Penche had op zijn bericht zitten wachten; het was belangrijk voor hem. Hij had uitgevonden dat het gesprek uit het Imperador kwam, en hij had een man gestuurd om contact met hem op te nemen. In een verre hoek van de hal zag hij de boodschapper woedend wegstruinen van de receptie. Hij wist dat de man het bij andere personeelsleden zou proberen. Een van de piccolo's of een kelner zou hem voor een fooi helpen.

Farr ging naar de deur en keerde zich nog even om. Een onbestemde vrouw van middelbare leeftijd liep in zijn richting. Toevallig keek hij haar in de ogen, en zij sloeg haar blik neer, aarzelde heel even. Farr was al achterdochtig, anders had hij het misschien niet gemerkt. De vrouw liep vlot langs hem heen, stapte op de band van de uitgang en werd door de orchideeëntuin van het Imperador naar de Sunset Boulevard gedragen.

Farr volgde haar, zag haar opgaan in de menigte. Hij ging naar een verkeersparaplu en nam het linkerpad naar het helidek. Er stond een lege taxi te wachten. Farr sprong erin en gaf een willekeurig adres op. 'Naar Laguna Beach.'

De taxi steeg op naar het zuidwaartse niveau. Farr keek door de achterruit. Honderd meter terug dobberde een taxi omhoog die hem volgde. Farr riep naar de chauffeur: 'Sla af naar Riverside.'

De andere taxi maakte ook een bocht.

'Zet me hier maar neer,' zei Farr tegen de chauffeur.

'In South Gate?' vroeg de man, alsof Farr niet goed snik was.

'In South Gate.' Niet erg ver van het kantoor van Penche en zijn toonruimte op Signal Hill, dacht Farr. Toevallig.

De taxi landde. Farr zag de achtervolger ook dalen. Hij maakte zich geen zorgen. Het afschudden van een schaduw was een uiterst simpele zaak, een techniek die alle kinderen die naar de stereo's keken kenden.

Farr volgde de witte pijl naar de ondergrondse schacht en stapte erin. De schijf ving hem op en stopte zacht. Farr riep een wagen aan en stapte in. De ondergrondse was geknipt voor het kwijtraken van een schaduw. Hij koos zijn reisdoel en probeerde zich toen te ontspannen.

De wagen maakte snelheid, gonsde, remde, stopte. De deur vloog open. Farr stapte uit en ging met de lift naar boven. Daar verstarde hij. Wat deed hij hier? Dit was Signal Hill – eens bezaaid met olieboortorens, nu verdwenen onder wolken exotisch groen; tien miljoen bomen, struiken, heesters, in golven rond landhuizen en paleizen. Er waren vijvers en watervallen en zorgvuldig informeel gehouden bloembedden; felrode hibiscus, stralend gele vaanbloemen, saffieren gardenia's. De hangende tuinen van Babylon waren er niets bij. Bel-Air was slonzig en Topanga voor de parvenu's, vergeleken met Signal Hill.

K. Penche bezat tien hectare op de top van de heuvel. Hij had zijn land ontruimd, alle protesten en gerechtelijke bevelen in de wind slaand, alle rechtszaken winnend. Signal Hill was nu gekroond met boomhuizen van Iszic: zestien modellen in vier typen – de enige soorten die Penche mocht verkopen.

Farr liep langzaam door de beschaduwde zuilengalerij die eens de Atlantic Avenue was geweest. Boeiend, dacht hij, dat hij door een toeval hier was beland. En nu hij toch zo dichtbij was,

was het misschien wel een goed idee om bij Penche langs te gaan...

Nee, zei Farr koppig. Hij had zijn besluit genomen, en geen onredelijke dwang zou hem van gedachten doen veranderen. Een vreemde zaak, dat hij in het hele enorme Los Angeles nu juist bijna vlak voor Penches deur moest arriveren. Het was al te vreemd. Het was geen toeval meer. Het moest het werk zijn van zijn onderbewuste.

Hij blikte achter zich. Onmogelijk dat iemand hem volgde. Maar hij wachtte een ogenblik of wat terwijl honderden mensen, oud en jong, van alle vormen, maten en kleuren passeerden. Allen taxerend viel zijn blik op een slanke man in een grijs pak; deze viel uit de toon. Farr liep de andere kant op, door het doolhof van openluchtwinkels en kramen onder de galerij, dook in een cafetaria met palmen en stapte achter een muur van bladeren uit het gezicht.

Na een minuut kwam de man in het grijs kwiek langslopen. Farr stapte achter de bladeren vandaan en staarde fel in het goed verzorgde gezicht. 'Zoekt u mij, meneer?'

'Welnee,' zei de man. 'Ik heb u nog nooit van mijn leven gezien.'

'Ik hoop dat ik u niet meer zie,' zei Farr. Hij beende naar het eerste het beste ondergrondse station, viel door de schacht, en stapte in een wagen. Na een ogenblik nadenken sloeg hij Altadena aan. De wagen zoemde weg. Nu kon Farr zich niet ontspannen; hij zat op de rand van de stoel. Hoe hadden ze hem opgespoord? Via de metro? Niet te geloven.

Om aan alle twijfel een eind te maken annuleerde hij Altadena en koos Pomona.

Vijf minuten later wandelde hij schijnbaar achteloos over de Valley Boulevard. Nog eens vijf minuten later had hij de schaduw te pakken, een jonge werkman met een wezenloos gezicht. Ben ik gek, vroeg Farr zich af, ontwikkel ik een achtervolgingswaan? Hij nam een grondige proef met de schaduw, door rond het ene huizenblok na het andere te lopen alsof hij een bepaald adres zocht. De jonge werkman slenterde achter hem aan.

Farr ging een restaurant in en belde de Speciale Dienst. Hij vroeg naar rechercheur Kirdy en werd met hem verbonden.

Kirdy begroette hem beleefd, en ontkende nadrukkelijk dat hij mensen achter Farr had aangestuurd. Hij leek zeer belangstellend. 'Wacht heel even,' zei hij, 'terwijl ik 't de andere afdelingen vraag.'

In de volgende paar minuten zag Farr de jonge man binnenkomen en aan een tafeltje gaan zitten, waar hij koffie bestelde.

Kirdy kwam terug. 'Wij zijn hier onschuldig. Misschien zijn het privé-detectives.'

Farr keek geërgerd. 'Kan ik er niets tegen doen?'

'Vallen ze u lastig?'

'Nee.'

'We kunnen eigenlijk niets doen. Neem de metro, schud ze af.'

'Dat heb ik al twee keer gedaan – ze zitten nog altijd achter me aan.'

Kirdy keek verbaasd. 'Ik wou dat ze me vertelden hoe ze dat klaarspelen. Wij laten onze verdachten niet meer volgen; ze raken ons te makkelijk kwijt.'

'Ik zal het nog één keer proberen,' zei Farr. 'En dan komt er vuurwerk.'

Hij marcheerde het restaurant uit. De werkman goot zijn koffie naar binnen en kwam vlug achter hem aan.

Farr stapte in een schacht. Hij wachtte, maar de jonge man verscheen niet. Dat was dat. Hij nam een wagen en keek om zich heen. Nergens was de werkman te bekennen. Er was niemand in de buurt. In de wagen springend gaf Farr op dat hij naar Ventura wilde. Er was geen manier denkbaar waarop de wagen door het metrostelsel gevolgd of gecontroleerd kon worden.

In Ventura was zijn schim een knappe jonge huisvrouw die schijnbaar een middagje aan het winkelen was.

Farr verdween weer in een schacht en nam de

metro naar Long Beach. De man die hem daar volgde was de slanke figuur in het grijze pak die hij voor het eerst op Signal Hill had gezien. Hij leek niet onder de indruk toen Farr hem herkende, en haalde nogal brutaal zijn schouders op alsof hij zeggen wilde: 'Wat verwacht je dan?'

Signal Hill. Weer terug, het was maar een paar kilometer verder. Misschien was het toch een goed idee om even bij Penche langs te gaan.

Nee!

Farr ging in een galerijcafé zitten, in het volle zicht van de man in het grijs, en bestelde een broodje. Zijn schaduw nam een tafeltje en liet ijsthee komen. Farr wou dat hij de waarheid uit het keurig verzorgde gezicht kon slaan. Dat was niet aan te raden: hij zou in de gevangenis belanden. Was Penche verantwoordelijk voor deze vervolging? Met tegenzin wees Farr het idee van de hand. Penches handlanger was in het hotel gearriveerd toen hij zelf net vertrok.

Wie dan? Omon Bozhd?

Farr zat stokstijf, en toen barstte hij in lachen uit – een helder, luid geblaf. De mensen keken hem verrast aan. De grijze man nam hem onderzoekend op. Farr bleef grinniken, een nerveuze ontlading van spanning. Toen hij er eenmaal over nadacht was het zo duidelijk, zo simpel.

Hij keek naar het plafond van de galerij, stelde zich de hemel voor. Daarboven ergens, op vijf of tien kilometer hoogte, hing een luchtboot. Daarin zat een Iszic, met een gevoelige kijker en een radio. Overal waar Farr ging of stond, zond de straling in zijn rechterschouder een signaal omhoog. Op het kijkscherm was Farr even duidelijk herkenbaar als een vuurtoren.

Hij ging naar het stereoscherm en belde Kirdy op.

De rechercheur was zeer geïnteresseerd. 'Daar heb ik over gehoord. Blijkbaar werkt het.'

'Ja,' zei Farr. 'En of. Hoe kan ik het afschermen?'

'Eén moment.' Vijf minuten later was Kirdy terug. 'Blijf waar u bent, dan stuur ik iemand met een schild.'

Even later arriveerde de boodschapper. In de heren-wc bond Farr een schild van geweven metaal om zijn schouder en zijn borst.

'Zo,' zei hij. 'Nu zullen we eens zien.'

De slanke man in het grijs volgde hem nonchalant naar de schacht van de metro. Farr koos Santa Monica als reisdoel.

In het station op de Ocean Avenue kwam hij boven, en vandaar liep hij over de Wilshire Boulevard naar het noordoosten, en terug naar Beverly Hills. Hij was alleen. Hij nam alle proeven die hij wist te bedenken. Niemand volgde hem. Farr grijnsde voldaan, terwijl hij in gedachten de geïrriteerde Iszic achter het kijkerscherm zag.

Hij kwam bij de Capricorn Club – een grote, nogal ongunstig ogende kroeg met een prettige ouderwetse geur van zaagsel, boenwas en bier. Binnen liep hij direct naar het stereoscherm en belde Hotel Imperador. Ja, er lag een boodschap op hem te wachten. De bediende speelde de band af en voor de tweede keer keek Farr in het massieve sardonische gezicht van Penche. De ruwe, diepe stem klonk verzoenend: de woorden waren zorgvuldig gekozen en gerepeteerd. 'Ik zou u graag ontmoeten zodra het u schikt, meneer Farr. Wij begrijpen allebei de noodzaak van discretie. Ik weet zeker dat uw bezoek voor ons beiden winstgevende gevolgen zal hebben. Ik wacht op uw bericht.'

Het beeld vervaagde; weer verscheen de bediende. 'Zal ik het uitwissen of opbergen, meneer Farr?'

'Wis maar uit.' Farr liep naar het eind van de bar. De bartender stelde de traditionele vraag: 'Wat zal het zijn, broeder?'

'Vienna Stadtbrau.'

De man draaide zich om, gaf een draai aan een hoog eiken wiel versierd met hopranken en beplakt met kleurige etiketten. De honderdtwintig standen van het wiel betekenden honderdtwintig drankreservoirs. Er schoot een donkere flacon uit de voorraadkamer. De bartender kneep hem leeg in een bierpul en zette die voor Farr neer.

Farr nam een ferme slok, wreef over zijn voorhoofd.

Hij zat met een raadsel. Er was iets heel vreemds aan de gang, daaraan viel niet te twijfelen. Penche leek best redelijk. Misschien, alles welbeschouwd, was het toch een goed idee om... vermoeid zette Farr de gedachte van zich af. Verbazend in hoeveel vermommingen de dwang zich wist uit te dossen. Het was lastig om je ertegen te wapenen. Tenzij hij voor eens en voor altijd zijn veto uitsprak over iedere handelwijze die een bezoek aan Penche inhield. Een onwrikbare tegendwang, kluisters om zijn vrijheid van handelen. Het was een janboel. Hoe kon hij helder denken als hij geen onderscheid wist te maken tussen een idiote onderbewuste drang en zijn gezonde verstand?

Hij bestelde een nieuw glas bier bij de bartender, een stevige kleine man met appelwangen en bolle ogen en een fraaie snor. Farr dacht na. Het was een interessant psychologisch probleem, en onder andere omstandigheden had hij ervan genoten. Maar nu kwam het te dicht bij huis. Hij probeerde in discussie te gaan met de dwang. Wat heb ik eraan om Penche te ontmoeten? Penche had over winst gesproken. Hij dacht blijkbaar dat Farr iets had dat hij wilde hebben.

Dat kon alleen een vrouwelijk huis zijn.

Farr had geen vrouwelijk huis, en dus – zo simpel lag het – zou hij er niets bij winnen door naar Penche te gaan.

Maar de redenering bevredigde hem niet. Hij vermoedde dat hij de zaak te sterk vereenvoudigde. De Iszics waren er ook bij betrokken. Zij moesten ook geloven dat hij een vrouwelijk huis had. Omdat ze hadden geprobeerd hem te schaduwen, wisten ze blijkbaar niet waar hij zijn hypothetische huis zou afleveren.

Natuurlijk wilde Penche niet dat zij het te weten kwamen. Als de Iszics merkten dat hij erbij betrokken was dan zouden ze op zijn minst zijn agentuur opzeggen. En ze zouden hem heel goed kunnen doden.

Penche speelde hoog spel. Aan de ene kant zou hij zijn eigen huizen kunnen kweken. Ze zouden hem twintig of dertig dollar per stuk kosten. Hij kon er zoveel verkopen als hij wilde voor tweeduizend. Hij zou de rijkste man in het heelal worden, de rijkste man in de geschiedenis van de Aarde. De moguls van het oude India, de Victoriaanse magnaten, de oliebaronnen, de Pan-Euraziatische syndicaten: vergeleken bij hem zouden het paupers lijken.

Maar aan de andere kant – Penche zou zijn monopolie beslist kwijtraken. Zich Penches gezicht met de starre streep van zijn mond herinnerend, de scherpe neus, de ogen als beroet glas voor een vuur, begreep Farr instinctief Penches positie.

Het zou een interessante strijd worden. Penche onderschatte waarschijnlijk het subtiele brein van de Iszics, de fanatieke ijver waarmee ze hun eigendom bewaakten. En de Iszics onderschatten de enorme rijkdom van Penche en het technische genie van de Aarde. Het was de oude paradox: de onweerstaanbare kracht en het onwrikbare voorwerp. En ik, dacht Farr, zit in het midden. Tenzij ik me ervan losmaak, word ik verpletterd, dat is heel goed mogelijk... Hij nam een bedachtzame slok van zijn bier. Als ik beter wist wat er gebeurde, hoe ik erbij betrokken ben geraakt, waarom juist ik, dan zou ik weten wat ik moest doen. Maar – wat een macht heb ik! Zo lijkt het tenminste.

Hij bestelde nog een bier. Opeens keek hij op en tuurde scherp rond de bar. Niemand leek naar hem te kijken. Hij nam zijn pul mee naar een tafel in een donkere hoek.

De hele affaire – althans zijn aandeel erin – begon met de Thordse overval op Tjiere. Farr had de achterdocht van de Iszics opgewekt; ze hadden hem gevangengezet. Hij was alleen geweest met de enige overlevende Thord. De Iszics hadden hypnotisch gas in de cel gespoten via een wortel. De Thord en Farr waren verdoofd.

De Iszics hadden hem zonder twijfel van top

tot teen onderzocht, van binnen en van buiten, lichaam en geest. Als hij medeplichtig was, dan zouden zij het weten. Als hij zaad of zaailingen op zijn persoon had, dan zouden zij het weten. Wat hadden ze eigenlijk precies gedaan?

Ze hadden hem vrijgelaten; ze hadden zijn terugkeer naar de Aarde vergemakkelijkt. Hij was een lokvogel, aas.

Aan boord van de *Andrei Simic* – hoe zat dat allemaal? Stel dat de Anderviews agenten waren van Penche. Stel dat zij het gevaar vreesden dat Farr vertegenwoordigde en hem daarom hadden willen doden? En hoe zat het met Paul Bengston? Misschien had hij de taak de eerste twee te bespioneren. Hij had de Anderviews gedood om Penches belangen te beschermen, of om zelf een groter aandeel in de winst te bemachtigen. Het was mislukt. Hij was gearresteerd door de Speciale Dienst.

De hele toestand mondde uit in een voorlopige, theoretische, maar schijnbaar logische conclusie: K. Penche had de overval op Tjiere georganiseerd. Het was Penches metalen mol die elfhonderd voet onder de grond door de wesp was vernietigd. De overval was bijna een succes geworden. De Iszics moesten geschreeuwd hebben van angst. Ze zouden de bron van hun ellende opsporen, de organisator van de overval, zonder gewetensbezwaren of beperkingen. Een paar doden betekenden niets. Geld betekende niets. Aile Farr betekende niets.

Een koude rilling speelde over Farrs rug.

Een knap blond meisje in een grijze glanshuid bleef naast zijn tafeltje staan. 'Hallo knaap.' Ze wierp haar haren schalks over haar schouder. 'Je ziet er eenzaam uit.' En ze liet zich op een stoel naast hem zakken.

Farrs gedachten hadden hem nerveus gemaakt: hij schrok van het meisje. Hij staarde haar aan zonder een spier te vertrekken, vijf seconden, tien seconden.

Ze lachte geforceerd en schoof op haar stoel heen en weer. 'Je ziet eruit alsof je alle zorgen van de wereld op je hoofd torst.'

Farr zette zijn bier voorzichtig neer. 'Ik probeer op het juiste paard te wedden.'

'Zomaar in je eentje?' Een sigaret tussen haar lippen stekend, duwde ze haar mond ondeugend in zijn richting. 'Geef me een vuurtje.'

Farr stak de sigaret aan, bestudeerde haar onopvallend, woog haar, speurde naar de valse noot, een reactie die uit de toon viel. Hij had haar niet binnen zien komen; nergens in de bar had hij haar bezig gezien met het bevorderen van de drankverkoop.

'Ik ben over te halen tot het accepteren van een drankje,' zei ze terloops.

'En dan?'

Ze wendde haar ogen af, wilde hem niet aankijken. 'Dat... dat hangt van jou af.'

Farr vroeg haar hoeveel, in tamelijk botte bewoordingen. Ze bloosde, nog steeds opzij kijkend, opeens verlegen. 'Ik geloof dat u een vergissing maakt... dat ik een vergissing heb gemaakt... ik dacht dat ik van u wel iets te drinken kon krijgen.'

Vlot vroeg Farr: 'Werk je voor de bar, op commissie?'

'Jazeker,' zei ze, half uitdagend. 'En wat dan nog? Het is een leuke manier om de avond door te komen. Soms kom je een aardige kerel tegen. Wat heb je met je hoofd gedaan?' Ze boog zich voorover en keek. 'Heeft iemand je geslagen?'

'Als ik je vertelde hoe ik aan die wond kwam, zou je zeggen dat ik loog.'

'Ga je gang, vertel het maar.'

'Een paar mensen waren boos op me. Ze brachten me naar een boom, duwden me erin. Ik viel in een wortel, vijftig of zestig meter diep. Onderweg stootte ik mijn hoofd.'

Ze keek hem zijdelings aan. Haar mond vertrok tot een grimas. 'En op de bodem zag je kleine roze mannetjes met groene lantaarntjes. En een groot wit donskonijn.'

'Zei ik het niet,' zei Farr.

Ze stak een hand uit naar zijn slaap. 'Je hebt daar een rare lange grijze haar.'

Farr trok zijn hoofd naar achter. 'En die hou ik.'

'Net wat je wilt.' Ze keek hem koud aan. 'Komt er nog wat van, of moet ik je mijn levensgeschiedenis vertellen?'

'Wacht even,' zei Farr. Hij stond op en liep naar de bar. 'Dat blondje aan mijn tafel, ziet u haar?' vroeg hij aan de bartender.

De man keek. 'Wat is ermee?'

'Komt ze hier vaak?'

'Ik heb haar nog nooit van mijn leven gezien.'

'Ze werkt niet voor u op commissie?'

'Zeg ik toch. Ik ken haar totaal niet.'

'Bedankt.'

Farr ging terug. Het meisje zat nors met haar vingers op de tafel te roffelen. Farr keek haar een lang ogenblik aan.

'Nou?' gromde ze.

'Voor wie werk je?'

'Heb ik je toch verteld.'

'Wie heeft je naar mij toe gestuurd?'

'Doe niet zo dwaas.' Ze wilde opstaan. Farr pakte haar pols.

'Laat me los! Anders ga ik gillen.'

'Daar hoop ik op,' zei Farr. 'Van mij mag de politie komen. Ga zitten – anders roep ik ze zelf.'

Ze zonk langzaam neer op de stoel, draaide zich dan om en sloeg haar armen om zijn nek. 'Ik ben zo alleen. Echt, ik meen het. Ik ben gister aangekomen uit Seattle. Ik ken hier geen mens – doe nou niet zo moeilijk. We kunnen toch aardig tegen elkaar zijn... nietwaar?'

Farr grijnsde. 'Eerst praten we, dan kunnen we aardig zijn.'

Iets deed hem pijn, in zijn nek, waar haar hand hem aanraakte. Hij knipperde met zijn ogen en greep haar arm beet. Ze sprong op, rukte zich los. Haar ogen schitterden van leedvermaak. 'Wat nu, wat ga je nu doen?'

Farr dook op haar af; ze danste achteruit met een ondeugend gezicht. Farrs ogen traanden, zijn gewrichten werden zwak. Hij wankelde overeind, de tafel viel om. De bartender sprong brullend over de toog. Farr deed twee waggelende stappen naar het meisje, dat rustig wegliep. De bartender ging voor haar staan.

'Wacht eens even.'

Farrs oren werden overspoeld door een donderend geluid. Hij hoorde het meisje stijf zeggen: 'Ga uit de weg. Hij is dronken. Hij heeft me beledigd... hij heeft allemaal akelige dingen gezegd.'

De bartender keek haar fel maar besluiteloos aan. 'Er is hier iets niet in de haak.'

'Nou, als je mij er maar buiten laat.'

Farrs knieën bogen door; er kwam een verschrikkelijk brok in zijn keel, in zijn mond. Hij zonk op de vloer. Hij voelde beweging, ruwe handen die aan hem trokken, en hij hoorde de bartender hard zeggen: 'Wat is er mis, Jan? Kun je er niet tegen?'

Farrs gedachten waren ver weg, verstrikt in een haag van glazen takken. Een stem gorgelde door zijn keel. 'Bel Penche... Bel K. Penche!'

'K. Penche!' zei iemand zacht. 'Die vent is gek.'

'K. Penche,' mummelde Farr. 'Hij zal u betalen... Bel hem, zeg hem – Farr...'

Elf

Aile Farr ging dood. Hij zonk weg in een rode en gele chaos van vormen die kronkelden en beukten. Als de beweging verstilde, als de vormen zich oprichtten en zich terugtrokken, als het rood en het goud wazig werden en tot zwart verduisterden – dan zou Aile Farr dood zijn.

Hij zag de dood komen, als de schemer over de zonsondergang van zijn sterven zweven... Plotseling iets scherps, een wanklank. Een heldergroene vlek explodeerde over het droeve rood en roze en goud...

Aile Farr leefde weer.

De dokter ontspande zich en borg zijn injectienaald op. 'Dat scheelde niet veel,' zei hij tegen de agent.

Farrs stuiptrekkingen verminderden en hij raakte gelukkig bewusteloos.

'Wie is die vent?' vroeg de agent.

De bartender keek sceptisch neer op Farr. 'Hij

zei dat ik Penche moest bellen.'

'Penche! K. Penche?'

'Dat zei hij.'

'Nou, bel hem maar. Hij kan je alleen maar uitvloeken.'

De bartender ging naar het scherm. De agent keek neer op de dokter, die nog naast Farr knielde.

'Wat is er met hem gebeurd?'

De dokter haalde zijn schouders op. 'Moeilijk te zeggen. Een of ander probleem met een vrouw. Tegenwoordig kun je iemand zoveel dingen inspuiten.'

'Die rauwe plek op zijn hoofd...'

De dokter keek even naar Farrs schedel. 'Nee. Dat is een oude wond. Hij is in zijn nek geraakt. Die plek hier.'

'Ziet eruit alsof ze hem met een klapzak heeft geraakt.'

De bartender kwam terug. 'Penche zegt dat hij onderweg is.'

Allemaal bezagen ze Farr met nieuw respect.

Twee broeders legden de stokken van een draagbaar naast Farr; daarna staken ze metalen stroken onder hem door die ze aan de stok aan zijn andere kant klemden. Ze tilden hem op en droegen hem weg. De bartender draafde ernaast. 'Waar brengen jullie hem heen? Ik moet het aan Penche vertellen.'

'Naar de eerstehulpafdeling van Long Beach.'

Penche arriveerde drie minuten nadat de ambulance vertrokken was. Hij beende naar binnen en keek om zich heen. 'Waar is hij?'

'Bent u meneer Penche?' vroeg de bartender eerbiedig.

'Nou en of 't 'm is,' zei de agent.

'Nou, ze hebben uw vriend naar de eerstehulpafdeling van Long Beach gebracht.'

Penche wendde zich tot een van de mannen die achter hem aan naar binnen was gemarcheerd. 'Zoek uit wat hier gebeurd is,' zei hij en liep weg.

De broeders legden Farr op een tafel en sneden zijn sandalen weg. Verbaasd bekeken ze de metalen band die om zijn schouder zat.

'Wat is dat voor ding?'

'Wat het ook is – het moet eraf.'

Ze wikkelden het geweven metaal af, wasten Farr met antiseptisch gas, gaven hem verschillende injecties, en verhuisden hem naar een stille kamer.

Penche belde de receptie op. 'Wanneer kan meneer Farr naar huis?'

'Een ogenblik, meneer Penche.'

Penche wachtte terwijl de bediende inlichtingen inwon.

'Hij is nu buiten gevaar,' deelde hij mee.

'Kan hij vervoerd worden?'

'Hij is nog bewusteloos, maar de dokter zegt dat het kan.'

'Laat hem dan alstublieft door een ambulance naar mijn huis brengen.'

'Uitstekend, meneer Penche. Eh – neemt u de verantwoordelijkheid voor de zorg voor meneer Farr op u?'

'Ja,' zei Penche. 'Stuur me de rekening.'

Penches huis op Signal Hill was een klasse-AA-type-4-luxemodel en gelijkwaardig aan een normaal Aards huis van dertigduizend dollar. Penche verkocht klasse-AA-huizen in vier soorten voor tienduizend dollar – zoveel als hij er krijgen kon – en verder nog klasse A, klasse BB en klasse B. De Iszics kweekten natuurlijk voor hun eigen gebruik oneindig veel bewerkelijker huizen – weelderige oude bomen met reeksen onderling verbonden peulen, wanden die glansden met fluorescerende kleuren, buisjes die nectar en olie en pekel leverden, atmosferen geladen met zuurstof en complexe weldadige stoffen, fototropische en fotofobische peulen, peulen die zorgvuldig gefilterde badvijvers met circulerend water bevatten, peulen die noten en suikerkristallen en sappige wafels produceerden. De Iszics exporteerden hier geen enkel exemplaar van, en ook geen enkel drie- of vierpeul-arbeidershuis. Ze vereisten evenveel ruimte om te verzenden, maar brachten maar weinig extra op.

Een miljard Aardmensen woonden in minne omstandigheden. Noord-Chinezen groeven nog steeds grotten in de löss, Dravidiërs bouwden modderhutten, Amerikanen en Europeanen woonden in vervallen flatgebouwen. Penche vond het een erbarmelijke toestand; hier lag een immense onontgonnen markt. Penche wilde hem ontginnen.

Hij werd gehinderd door een praktische moeilijkheid. Deze mensen konden geen duizenden dollars betalen voor klasse AA, A, BB, of B, zelfs al had Penche er voldoende te koop.

Hij had arbeidershuizen met drie, vier en vijf peulen nodig – die de Iszics weigerden te exporteren.

Er bestond een klassieke oplossing voor het probleem: een overval op Iszm voor een vrouwelijke boom. Op de juiste manier bevrucht, leverde een vrouwelijke boom een miljoen zaden per jaar op. Ongeveer de helft van de zaden zou vrouwelijk zijn. In een paar jaar zou Penches inkomen opzwellen van tien miljoen per jaar tot honderd miljoen, duizend miljoen, vijfduizend miljoen.

Voor de meeste mensen is het verschil tussen tien miljoen per jaar en duizend miljoen gering. Maar Penche dacht in eenheden van een miljoen. Geld vertegenwoordigde niet wat gekocht kon worden, maar energie, dynamische kracht, de substantie van overredingskracht en doeltreffendheid. Hij gaf weinig geld aan zichzelf uit, zijn privé-leven was nogal sober. Hij woonde in zijn klasse-AA-demonstratiehuis op Signal Hill terwijl hij een hemeleiland had kunnen hebben dat in een baan rond de Aarde zweefde. Hij had zijn tafel kunnen bedelven onder zeldzaam vlees en gevogelte, kostbare conserven, de roemruchtste wijnen, merkwaardige likeuren en fruit van de buitenwerelden. Hij had een harem kunnen inrichten met de houri's van een sultansdroom. Maar Penche at biefstuk en dronk koffie en bier. Hij bleef vrijgezel, en stortte zich alleen in het gezelligheidsleven als zijn drukke zaken het toelieten. Net zoals sommige begaafde mensen niet muzikaal zijn, had Penche maar weinig op met de verworvenheden van de beschaving.

Hij kende zijn gebrek, en soms ervoer hij een vluchtige melancholie, als de aanraking met een donkere veer; soms zat hij in elkaar gedoken, als een wild zwijn, terwijl de vuren gloeiden achter het beroete glas van zijn ogen. Maar meestentijds was K. Penche wrang en sardonisch. Andere mannen konden gewonnen, afgeleid, beheerst worden met vlotte woorden, mooie dingen, genot; Penche wist dit goed en gebruikte zijn kennis zoals een timmerman een hamer, zonder nieuwsgierig te zijn naar de intrinsieke aard van het werktuig. Zonder illusies of vooroordelen observeerde en handelde hij; hierin lag misschien Penches grootste kracht, het innerlijke peinzende oog dat hemzelf en de wereld taxeerde binnen hetzelfde ongevoelige, objectieve kader.

Hij zat in zijn werkkamer te wachten toen de ambulance op het grasveld daalde. Hij ging het balkon op en keek toe terwijl de broeders de draagbaar naar buiten lieten zweven. Hij sprak met de zware, harde stem die de kracht had van de schreeuw van een gewone man: 'Is hij bij bewustzijn?'

'Hij komt weer bij, meneer.'

'Breng hem hierheen.'

Twaalf

Aile Farr werd wakker in een peul met stofgele wanden, een donkerbruin plafond gewelfd met slanke ribben. Hij hief zijn hoofd op en keek om zich heen. Hij zag vierkant zwaar, donker meubilair: stoelen, een bank, een tafel vol papieren, een paar modellen van huizen, een antiek Spaans buffet.

Een broodmagere man met een groot hoofd en ernstige ogen boog zich over hem heen. Hij droeg een wit jasje, hij rook antiseptisch: een dokter. Achter de dokter stond Penche. Hij was groot maar niet zo groot als Farr zich had voorgesteld. Langzaam liep hij naar Farr toe.

In Farrs hersens kwam iets los. Lucht rees op in zijn keel, zijn stembanden vibreerden; zijn mond, zijn tong, tanden en verhemelte vormden woorden, Farr hoorde ze verbijsterd aan.

'Ik heb de boom.'

Penche knikte. 'Waar?'

Farr keek hem dom aan.

Penche vroeg: 'Hoe heb je de boom van Iszm af gekregen?'

'Ik weet het niet,' zei Farr. Hij richtte zich half op, wreef over zijn kin, knipperde met zijn ogen. 'Ik weet niet wat ik zeg. Ik heb geen boom.'

Penche fronste. 'Of je hebt er een, of niet.'

'Ik heb geen boom.' Farr deed zijn best om overeind te komen. De dokter stak een hand onder zijn schouders en hielp hem. Farr voelde zich erg zwak. 'Wat doe ik hier? Iemand heeft me vergiftigd. Een meisje. Een blond meisje in de kroeg.' Hij keek Penche nijdig aan. 'Die werkte voor jou.'

Penche knikte. 'Dat klopt.'

Farr streek over zijn gezicht. 'Hoe heb je me gevonden?'

'Je hebt het Imperador per stereo gebeld. Ik had iemand in de centrale die daarop wachtte.'

'Zo,' zei Farr moe. 'Het is allemaal een vergissing. Hoe of wat of waarom – dat weet ik niet. Behalve dat ik de klappen krijg. En dat bevalt me helemaal niet.'

Penche keek naar de dokter. 'Hoe is het met hem?'

'In orde. Hij krijgt zijn krachten gauw weer terug.'

'Mooi. U kunt gaan.'

De dokter verliet de peul. Penche gebaarde een stoel onder hem omhoog en ging zitten. 'Anna werkt te hard,' zei hij. 'Ze had je nooit moeten prikken.' Hij schoof zijn stoel dichterbij. 'Vertel me over jezelf.'

'Ten eerste,' zei Farr, 'waar ben ik?'

'In mijn huis. Ik zocht je.'

'Waarom?'

Penche wiegde zijn hoofd heen en weer, een teken van stil plezier. 'Er is je gevraagd een boom bij mij te bezorgen. Of een zaadje. Of een kiemplant. Wat het ook is, ik wil het hebben.'

Farr zei op effen toon: 'Ik heb niets. Ik weet er niets van. Ik was op het Tjiere-atol tijdens de overval – dichter ben ik niet bij jouw boom geweest.'

Penche vroeg met een kalme stem, schijnbaar zonder achterdocht: 'Je hebt me opgebeld toen je in de stad arriveerde. Waarom?'

Farr schudde zijn hoofd. 'Ik weet het niet. Het was iets dat ik moest doen. Ik deed het. Ik heb je nu net verteld dat ik een boom had. Ik weet niet waarom.'

Penche knikte. 'Ik geloof je. We moeten uitvinden waar die boom is. Het kan wel even duren, maar...'

'Ik heb je boom niet. Ik ben niet geïnteresseerd.' Hij stond op en liep naar de deur. 'En nu ga ik naar huis.'

Penche keek hem geamuseerd na. 'De deuren zijn vergrendeld, Farr.'

Farr bleef staan, kijkend naar de harde rozet van de deur. Verzegeld – dichtgesnoerd. De zenuw zou ergens in de wand zitten. Hij drukte op het stoffig-gele oppervlak, dat op perkament leek.

'Zo niet,' zei Penche. 'Kom hier terug, Farr...'

De deur draaide open. Omon Bozhd stond in de opening. Hij droeg een nauwsluitend kledingstuk met blauwe en witte strepen, een witte cloche die zwierig op zichzelf terugboog boven zijn oren. Zijn gezicht stond streng, kalm, vol van de kracht die menselijk maar niet Aardmenselijk was.

Hij kwam de kamer in. Achter hem liepen nog twee Iszics, deze in het geel en groen: Szecr. Farr ging achteruit zodat ze binnen konden komen.

'Hallo,' zei Penche. 'Ik dacht dat ik de deur vergrendeld had. Jullie knapen kennen zeker alle kunstjes.'

Omon Bozhd knikte hoffelijk naar Farr. 'We hebben u vandaag een poos uit het oog verloren, ik ben blij u te zien.' Hij keek naar Penche, toen naar Farr. 'Uw bestemming schijnt het huis van K. Penche te zijn geweest.'

'Daar lijkt het wel op,' zei Farr.

Omon Bozhd legde keurig uit: 'Toen u in de cel op Tjiere zat, verdoofden wij u met een hypnotisch gas. De Thord hoorde dat. Zijn ras kan zijn adem zes minuten lang inhouden. Toen u wazig werd, sprong hij boven op u om een gedachtenoverdracht te bewerkstelligen en u aan zijn wil te onderwerpen. Een suggestie, een dwang.' Hij keek naar Penche. 'Tot het laatste moment diende hij zijn meester.'

Penche zei niets. Omon Bozhd ging verder: 'Hij begroef de instructies diep in uw geest. Toen gaf hij u de bomen die hij had gestolen. Er waren zes minuten verstreken. Hij haalde adem en raakte bewusteloos. Later brachten wij u bij hem, in de hoop dat zijn bevel daardoor ontkracht en bekend zou worden. Dat mislukte; de Thord ontstelde ons met zijn psychische vermogens.'

Farr keek naar Penche, die achteloos tegen de tafel leunde. Er was hier een spanning, als in een duveltje-in-een-doosje dat bij de minste schok zou ontploffen.

Omon Bozhd zonderde Farr uit van zijn aandacht. Farr had zijn taak vervuld. 'Ik ben naar de Aarde gekomen,' vertelde hij Penche, 'met twee opdrachten. Ik moet u meedelen dat uw toewijzing van klasse-AA-huizen niet afgeleverd kan worden, wegens de overval op het Tjiere-atol.'

'Wel, wel,' zei Penche rustig. 'Niet zo best.'

'Mijn tweede opdracht was het vinden van de man aan wie Aile Farr zijn boodschap bracht.'

Penche zei belangstellend: 'Jullie hebben Farrs geest gepeild? En dat konden jullie niet ontdekken?'

De Iszic wellevendheid kwam automatisch, het was een reflex. Omon Bozhd neeg het hoofd. 'De Thord droeg Farr op alles te vergeten, en het zich pas te herinneren als hij voet op Aarde zette. Hij bezat enorme macht; en Farr Sainh heeft een zeer volhardende geest. We konden hem slechts volgen. Dit is zijn bestemming, het huis van K. Penche. Nu ben ik in staat mijn tweede opdracht te vervullen.'

Penche zei: 'En? Kom maar op!'

Omon Bozhd boog. Zijn stem was kalm en vormelijk. 'Mijn oorspronkelijke boodschap aan u vervalt, Penche Sainh. U zult geen klasse-AA-huizen meer ontvangen. U ontvangt helemaal geen huizen meer. Mocht u ooit nog een voet op Iszm zetten of op Iszic grondgebied, dan zult u gestraft worden wegens uw misdaad jegens ons.'

Penche knikte, wat betekende dat hij zich in stilte vrolijk maakte. 'Jullie laten mij dus vallen. Ik ben jullie agent niet meer.'

'Juist.'

Penche keerde zich naar Farr en sprak met een

verrassend scherpe stem: ‘De bomen – waar zijn ze?’

Onwillekeurig bracht Farr zijn hand naar de pijnlijke plek op zijn hoofd.

Penche zei: ‘Kom hier, Farr, ga zitten. Laat mij maar eens kijken.’

Farr gromde: ‘Blijf uit mijn buurt. Ik ben niemands werktuig.’

Omon Bozhd zei: ‘De Thord verankerde zes zaden onder de hoofdhuid van Farr Sainh. Het was een ingenieuze bergplaats. De zaden zijn klein. We hebben een halfuur gezocht voor we ze vonden.’

Farr drukte met afkeer op zijn hoofd.

Penche zei met zijn schorre, rauwe stem: ‘Ga zitten, Farr. Laten we uitzoeken waar we staan.’

Farr ging met zijn rug tegen de muur staan. ‘Ik weet waar ik sta. En dat is niet bij jou.’

Penche lachte. ‘Heul je met de Iszics?’

‘Ik heul met niemand. Als ik zaden in mijn hoofd heb, dan zijn dat alleen mijn zaken!’

Penche deed een stap naar voren. Zijn gezicht werd lelijk.

Omon Bozhd zei: ‘De zaden zijn verwijderd, Penche Sainh. De bobbels die Farr Sainh wellicht voelt zijn tantaliumkorrels. ’

Farr bevingerde zijn schedel. Inderdaad – daar waren ze: harde bobbels. Een, twee, drie, vier, vijf, zes... Zijn hand dwaalde door zijn haar en stopte. Onwillekeurig keek hij naar Penche, naar de Iszics. Ze schenen niet naar hem te kijken. Hij drukte op het dingetje dat hij in zijn haar had gevonden. Het voelde als een zakje, een blaasje, ter grootte van een graankorrel, en het zat met een vezel aan zijn scalp vast. Anna, het blonde meisje, had een lange grijze haar gezien...

Farr zei beverig: 'Ik heb er genoeg van... Ik ga.'

'Nee dat doe je niet,' zei Penche zonder vuur. 'Je blijft hier.'

Omon Bozhd zei beleefd: 'Ik meen dat de Aardse wet het verbiedt om iemand tegen diens wil vast te houden. Als wij ons hierin schikken, worden wij evenzeer schuldig. Is dat juist?'

Penche glimlachte. 'In zekere, beperkte zin.'

'Om onszelf te beschermen, staan wij erop dat u geen onwettigheden pleegt.'

Penche zei vechtlustig: 'Jullie hebben je boodschap overgebracht. En donder nou op!'

Farr drong zich langs Penche. Deze stak zijn arm uit en drukte zijn hand plat tegen Farrs borst. 'Je kunt beter blijven, Farr. Hier ben je veiliger.'

Farr staarde diep in Penches smeulende ogen. Met zoveel opgekropte woede en teleurstelling en minachting kostte het hem moeite te spreken. 'Ik ga waar ik wil,' zei hij eindelijk. 'Ik word ziek van mijn rol van willoos werktuig.'

'Beter een levend werktuig dan een dood uilskuiken.'

'Dat risico neem ik dan maar.' Farr duwde Penches arm opzij.

Omon Bozhd mompelde wat tegen de twee Iszics achter hem. Ze gingen uit elkaar en liepen naar de twee kanten van de iris.

'U kunt gaan,' zei Omon Bozhd tegen Farr. 'K. Penche kan u niet tegenhouden.'

Farr bleef staan. 'Met jullie moet ik ook niks.' Hij keek rond de peul en ging toen naar het stereoscherm.

Penche was opgetogen; hij grijnsde naar de Iszics.

Omon Bozhd zei scherp: 'Farr Sainh!'

'Het is wettig,' kraaide Penche. 'Laat hem met rust.'

Farr raakte de knoppen aan. Het scherm gloeide op en werd scherp. 'Geef me Kirdy,' zei Farr.

Omon Bozhd gaf een teken. De Iszic rechts sneed in de wand en hakte door de communicatiebuis. Het scherm viel uit.

Penches wenkbrauwen gingen omhoog. 'Over misdaad gesproken,' brulde hij. 'Jullie vernielen mijn huis!'

Omon Bozhds lippen weken opzij en toonden zijn bleke tandvlees, zijn tanden. 'Voor ik klaar ben...'

Penche hief zijn linkerhand; uit de middelvinger spoot een draad oranje vuur. Omon Bozhd wankelde opzij; de vuurnaald trof zijn oor. De twee andere Iszics kwamen razendsnel in beweging; met feilloze precisie jaapten ze in de wand.

Penche richtte zijn vinger opnieuw. Farr greep zijn schouder en trok hem rond. Penches mond werd strak. Hij gaf een stomp met zijn rechtervuist die Farr in de maag raakte. Farrs slag miste en hij wankelde achteruit. Penche tolde rond naar de drie Iszics. Zij doken door de iris die zich achter hen vergrendelde. Farr en Penche waren alleen in de peul. Farr strompelde weg van de muur en Penche deinsde naar achter.

'Hou toch op, stommeling!' zei hij.

De peul beefde, sidderde, gaf een ruk. Halfgek nu zijn opgekropte woede was losgebarsten, waadde Farr naar voren. De vloer golfde. Farr viel op zijn knieën.

Penche snauwde: 'Hou toch op, zei ik! Voor wie werk je eigenlijk, de Aarde of Iszm?'

'Jij bent de Aarde niet,' hijgde Farr. 'Je bent K. Penche! Ik vecht omdat ik niet gebruikt wil worden.' Hij deed zijn best om op te staan; hij werd door zwakte overmand. Ademloos leunde hij achterover.

'Laat me dat ding in je hoofd zien,' zei Penche.

'Blijf van me af, of ik sla je kapot!'

De vloer van de peul ging op en neer als een trampoline. Farr en Penche werden door elkaar geschud. Penche keek bezorgd. 'Wat doen ze?'

'Ze hebben het al gedaan,' zei Farr. 'Het zijn Iszics, en dit zijn Iszic huizen! Ze bespelen die dingen als violen.'

De peul bedaarde – stijf trillend. 'Zo,' zei Penche. 'Het is afgelopen... En nu – dat ding in je kop.'

'Blijf uit mijn buurt... Wat het ook is, het is van mij!'

'Het is van mij,' zei Penche zacht. 'Ik heb ervoor betaald om het daar te laten planten.'

'Je weet niet eens wat het is.'

'Zeker wel. Ik kan het zien. Het is een scheut. De eerste peul is net opengebroken.'

'Je bent gek. Een zaad ontkiemt niet in mijn hoofd!'

De peul van het huis leek te verstijven, zich te krommen als een kattenrug. Het dak begon te kraken.

'We moeten hieruit,' mompelde Penche. De vloer kreunde, rilde. Penche rende naar de iris en raakte de zenuw aan.

De iris bleef gesloten.

'Ze hebben de zenuw doorgesneden,' zei Farr.

De peul rees langzaam omhoog, als de bak van een kiepauto. De vloer begon te hellen. Het gewelfde dak kraakte. *Tweng!* Een van de ribben brak en de stukken vielen omlaag. Een scherpe staak miste Farr op een paar decimeter.

Penche richtte zijn vinger op de deur. Een lans van vuur priemde in de iris. De deur sloeg terug met een wolk walgelijke stoom.

Penche wankelde hoestend achteruit.

Nog twee ribben knapten.

'Ze vermoorden je als ze je raken!' riep Penche die naar de zoldering keek. 'Ga terug, uit de weg!'

'Aile Farr, de wandelende broeikas... Je bent al lang rot voor je de kans krijgt om mij te oogsten, Penche...'

'Word niet hysterisch,' zei Penche. 'Kom hier!'

De peul kantelde, het meubilair begon naar de onderkant te schuiven. Penche weerde het vertwijfeld af. Farr gleed uit. De hele peul werd verfrommeld. Stukken rib sprongen in het rond. De meubels tuimelden om en om, stapelden zich op Farr en Penche en kneusden de mannen.

De peul begon te schudden; de tafels en stoelen vlogen omhoog en vielen terug. Farr en Penche worstelden om zich te bevrijden voordat de zware meubels hun botten braken.

'Ze doen het van buiten,' hijgde Farr. 'Ze trekken aan de zenuwen.'

'Als we op het balkon konden komen...'

'Dan worden we op de grond gegooid.'

Het schudden werd erger – langzaam omhoog, dan snel omlaag. De brokken van de ribben en de meubels begonnen te rammelen als erwten in een doos. Penche zette zich schrap met zijn handen tegen de tafel om het ding op zijn plaats te houden, weg van hun zachte lichamen. Farr griste een splinter van de vloer en begon in de wand te porren.

'Wat doe je?'

'De Iszics prikten hierin – in een of andere zenuw. Ik probeer een paar andere zenuwen te raken.'

'Je vermoordt ons!' Penche keek naar Farrs hoofd. 'Vergeet die plant niet...'

'Je bent banger voor die plant dan voor jezelf.' Farr prikte hier, prikte daar, op en neer.

Hij raakte een zenuw. De peul verstijfde opeens, nogal angstwekkend. De wand begon grote druppels zure vloeistof uit te braken. De peul gaf een wilde ruk, de inhoud rammelde dooreen.

'Dat is de verkeerde zenuw!' gilde Penche. Hij raapte ook een splinter op en begon te steken. Door de peul vibreerde een laag gekreun. De vloer bolde op, kronkelend van plantaardige doodsnood. Het plafond begon neer te komen.

'We worden verpletterd,' zei Penche. Farr zag iets van metaal glinsteren – de injectiespuit van de dokter. Hij stak het ding in de krijtgroene bolling van een ader en haalde de trekker over.

De peul huiverde, beefde, bonsde. De wanden kwamen vol blaren die opensprongen. Sap welde eruit en sijpelde naar de ingang. Er ging een krampachtige rilling door de peul, waarna hij slap ineenzeeg.

De stukken van de ribben, de gebroken meubels, Farr en Penche bolderden door de hele peul, het balkon op en het donker in.

Zich aan de ranken van het balkon vastgrijpend wist Farr zijn val te breken. De rank liet los; Farr viel. Het gras lag maar drie meter onder hem. Hij stortte in het puin. Onder zich voelde hij iets rubberachtigs. Het greep zijn benen beet en trok er hard aan: Penche.

Ze rolden over het gras. Farr was bijna uitgeput. Penche kneep in zijn ribben, stak zijn hand uit en greep hem naar de keel. Farr zag het gezicht vlak voor zich. Hij trok zijn knieën op – hard. Penche snakte naar adem, maar hield vast. Farr stak zijn duim in Penches neus en draaide hem rond. Penche rolde zijn hoofd weg en zijn greep verslapte.

Farr kwaakte: 'Ik scheur het ding eruit – ik vermorzel het...'

'Nee!' hijgde Penche. 'Nee.' Toen schreeuwde hij: 'Frope! Carlyle!'

Er verschenen mensen. Penche stond op. 'Er zitten drie Iszics in het huis. Laat ze er niet uit. Ga bij de stam staan – schiet ze dood!'

Een koele stem zei: 'Vanavond wordt er niet meer geschoten.'

Twee lichtbundels kwamen samen op Penche. Hij stond te rillen van nijd. 'Wie ben jij?'

'Speciale Dienst. Ik ben rechercheur Kirdy.'

Penche zuchtte. 'Pak die Iszics. Ze zitten in mijn huis.'

De Iszics kwamen in het licht. Omon Bozhd zei: 'Wij zijn hier gekomen om ons eigendom terug te eisen.'

Kirdy bekeek ze onvriendelijk. 'Welk eigendom?'

'Het zit in Farrs hoofd. Een huisplantje.'

'Beschuldigt u Farr?'

'Als ze dat durven!' zei Farr boos. 'Ze hebben me iedere minuut in de gaten gehouden, ze hebben me gefouilleerd, me gehypnotiseerd...'

'Penche is de schuldige,' zei Omon Bozhd bitter. 'Penches handlanger heeft ons misleid. Nu is alles duidelijk: hij verstopte de zes zaden op de plaats waarvan hij wist dat we die zouden vinden. Hij had ook een wortelrank, en die heeft hij in Farrs scalp vastgemaakt, tussen de haren. We hebben hem helemaal niet gezien.'

'Pech,' zei Penche.

Kirdy keek Farr weifelend aan. 'Is dat ding echt in leven gebleven?'

Farr onderdrukte de opwelling om in lachen uit te barsten. 'In leven gebleven? Hij heeft wortels uitgestuurd – en bladeren gemaakt, en een peul. Hij groeit. Ik heb een huis op mijn hoofd!'

'Het is eigendom van Iszm,' verklaarde Omon Bozhd scherp. 'Ik eis teruggave.'

'Het is mijn eigendom,' zei Penche. 'Ik heb het

gekocht – ervoor betaald.'

'Het is mijn eigendom,' zei Farr. 'In wiens hoofd groeit het?'

Kirdy zei hoofdschuddend: 'Komen jullie allemaal maar mee.'

'Ik ga nergens heen tenzij ik gearresteerd word,' zei Penche heel waardig. Hij wees. 'Ik heb het u al gezegd: arresteer de Iszics. Zij hebben mijn huis vernield.'

'Kom mee, allemaal,' zei Kirdy. Hij draaide zich om. 'Breng de bus.'

Omon Bozhd nam een besluit. Trots richtte hij zich op tot zijn volle lengte. Zijn witte banden gloeiden in het donker. Hij keek Farr aan, reikte onder zijn jas en haalde een brijzelpistool tevoorschijn. Farr dook plat op de grond.

De schicht suisde over zijn hoofd. Uit Kirdy's wapen kwam blauw vuur. Omon Bozhd kreeg een gloeiende blauwe stralenkrans. Hij was dood, maar hij bleef steeds opnieuw vuren. Farr rolde over de donkere grond. De andere Iszics schoten op hem zonder zich aan de wapens van de politie te storen: vlammende blauwe gedaanten, dood, handelend volgens bevelpatronen die langer duurden dan hun leven. Farrs benen werden een paar maal getroffen. Hij kreunde en lag stil.

De drie Iszics stortten neer.

'En nu,' zei Penche voldaan, 'ga ik Farr onder handen nemen.'

'Kalm aan, Penche,' zei Kirdy.
Farr zei: 'Blijf van me af.'
Penche bleef staan. 'Ik geef je tien miljoen voor wat er in je haar groeit.'
'Nee,' zei Farr wild. 'Ik ga het zelf kweken. Ik geef de zaden gratis weg...'
'Het is een gok,' zei Penche. 'Als het mannelijk is, dan is het niets waard.'
'Als het vrouwelijk is,' zei Farr, 'is het...' Hij zweeg toen een politiedokter zich over zijn been boog.
'...een heleboel waard,' zei Penche droog. 'Maar je zult tegenwerking krijgen.'
'Van wie?' hijgde Farr.
Er kwam een draagbaar aan.
'Van de Iszics. Ik bied je tien miljoen. Ik neem het risico.'
De vermoeienis, de pijn, de geestelijke uitputting overmanden Farr. 'Oké... ik ben ziek van de hele puinhoop.'
'Dat staat gelijk aan een contract,' riep Penche triomfantelijk. 'Deze agenten zijn mijn getuigen.'
Ze tilden Farr op de draagbaar. De dokter ontdekte een groen sprietje in Farrs haar. Hij stak een hand uit en plukte het weg.
'Oef!' zei Farr.
Penche schreeuwde: 'Wat heeft hij gedaan?'
Farr zei zwak: 'Let op je eigendom, Penche.'
'Waar is het?' jammerde Penche bezorgd ter-

wijl hij de dokter bij zijn jas greep.

'Wat?' vroeg de dokter.

'Breng lampen!' schreeuwde Penche.

Farr zag Penche en zijn mannen tussen het puin naar de bleke scheut zoeken die uit zijn hoofd was gegroeid, maar al gauw vielen zijn ogen dicht.

Penche zocht hem op in het ziekenhuis. 'Hier,' zei hij kortaf. 'Je geld.' Hij gooide een bon op tafel. Farr keek ernaar. 'Tien miljoen dollar.'

'Dat is een boel geld,' zei Farr.

'Ja,' zei Penche.

'Dan heb je de scheut dus gevonden.'

Penche knikte. 'Hij leefde nog. Hij staat nu te groeien... Het is een mannetje.' Hij raapte de bon op, keek ernaar, legde hem weer terug. 'Een slechte gok.'

'Je kansen waren goed,' zei Farr.

'Het geld kan me niet schelen,' zei Penche. Hij keek door het raam naar Los Angeles en Farr vroeg zich af wat hij dacht.

'Zo gewonnen, zo geronnen,' zei Penche. Hij keerde zich af alsof hij wilde gaan.

'Wat nu?' vroeg Farr. 'Je hebt geen vrouwelijk huis; je handelt niet meer in huizen.'

Penche zei: 'Er zijn vrouwelijke huizen op Iszm. Een heleboel. Ik ga er een paar halen.'

'Weer een overval?'

'Noem het wat je wilt.'
'Hoe noem jij het?'
'Een expeditie.'
'Blij dat ik er niets mee te maken heb.'
'Je weet maar nooit,' vond Penche. 'Misschien verander je van gedachten.'
'Reken er maar niet op,' zei Farr.